INTRODUCTION
A L'ANALYSE DU ROMAN

Extrait de notre catalogue

Paul GINESTIER, *Littérature anglaise.*

*

Daniel BERGEZ *et al., Introduction aux méthodes critiques pour l'analyse littéraire.*

Pierre CHARTIER, *Introduction aux grandes théories du roman.*

Daniel LEUWERS, *Introduction à la poésie moderne et contemporaine.*

Jean-Jacques ROUBINE, *Introduction aux grandes théories du théâtre.*

*

Série dirigée par Daniel Bergez :

Gérard DESSONS, *Introduction à l'analyse du poème.*

Yves REUTER, *Introduction à l'analyse du roman.*

Jean-Pierre RYNGAERT, *Introduction à l'analyse du théâtre.*

*

Claude ABASTADO, *Introduction au surréalisme.*

Catherine FROMILHAGUE, Anne SANCIER, *Introduction à l'analyse stylistique.*

Bruno HUISMAN et François RIBES,
Les philosophes et le droit.
Les philosophes et la nature

Dominique MAINGUENEAU,
Éléments de linguistique pour le texte littéraire.
Pragmatique pour le discours littéraire.
Précis de grammaire pour les concours.

Catherine WIEDER, *Éléments de psychanalyse pour le texte littéraire.*

*

Daniel BERGEZ, *L'explication de texte littéraire.*

Frédéric COSSUTTA, *Éléments pour la lecture des textes philosophiques.*

Anne ROCHE *et al., L'Atelier d'écriture.*

Claude SCHEIBER, *La Dissertation littéraire.*

INTRODUCTION
A L'ANALYSE DU ROMAN

par YVES REUTER

Bordas

En couverture :

La liseuse, vers 1880/90
Jean-Jacques Henner (1829-1905)
Musée d'Orsay, Paris

Ph. © R.M.N., Paris

© BORDAS, Paris, 1991
ISBN 2-04-019802-4

Table des matières

COMMENTAIRES DE TEXTES

A Josiane

Avant-propos

Il existe, depuis des siècles et dans tous les pays, d'innombrables récits de toute nature : romanesques ou poétiques, théâtraux ou cinématographiques, oraux ou écrits, visant à divertir, à informer, à instruire… Il existe aussi de très nombreuses théories qui, chacune, en éclaire un aspect singulier, qu'il soit d'ordre «interne» (les composantes et leur organisation) ou d'ordre «externe» (l'histoire, les fonctions, les effets, l'investissement de l'auteur, l'inscription des idéologies…). Il serait, en conséquence, illusoire de prétendre *tous* les saisir dans *toutes* leurs dimensions.

Plusieurs choix guident donc cet ouvrage d'initiation destiné aux étudiants.

Ainsi nous travaillerons sur le *roman* qui est au cœur des études littéraires mais sans nous interdire, ponctuellement, des références à d'autres récits qui peuvent éclairer, par comparaison, tel ou tel procédé.

Nous présenterons essentiellement des concepts issus de la *narratologie*. Cette discipline étudie le Récit en tant que tel : les formes obligées et leurs combinaisons que l'on retrouve à l'œuvre dans tous les récits *indépendamment de leur insertion dans la société*. Cela ne signifie nullement que nous préférons théoriquement les approches «internes». Nous pensons simplement qu'elles ont produit des notions opératoires et transférables pour les différents récits, utilisables dans des cadres théoriques et interprétatifs très divers. Elles fournissent des instruments susceptibles de décrire le texte avec précision afin d'éviter des commentaires flous et aléatoires.

Nous avons dû choisir, dans l'inflation actuelle, les termes qui nous semblaient les plus adéquats, en essayant – autant que possible – de signaler les équivalents en usage. Cette question est néanmoins secondaire à nos yeux même si elle permet de s'orienter plus rapidement dans les ouvrages de recherche. S'il est vrai qu'un métalangage spécialisé est nécessaire pour lever les ambiguïtés du langage courant et mieux se comprendre dans un domaine de recherche donné, l'important est qu'il soit adéquat (qu'il permette des analyses précises) et utilisé d'une façon non mécanique. L'essentiel en effet n'est pas de multiplier les termes et d'étiqueter les faits mais de se servir de notions appropriées pour saisir comment se construit la singularité de chaque récit et à quoi correspond cette nécessité.

Dans une telle optique la partie historique ne pouvait être que réduite, même si des éléments sont fournis dans la première partie et dans les exemples proposés. Nous croyons cependant que les instruments narratologiques peuvent aider à mieux percevoir des changements textuels dont une approche plus spécifiquement historique éclairera les conditions et les causes ainsi que les valeurs.

Il reste au lecteur à pénétrer dans cet ouvrage. Après la partie *historique* qui pose quelques grands jalons et permet de resituer les indications ponctuelles qui seront données ultérieurement, le cœur de cet ouvrage est constitué par la seconde partie, centrée sur la *méthodologie*. Ses cinq premiers chapitres posent les grands niveaux (fiction, narration, mise-en-discours) qu'il faut absolument distinguer dans l'analyse. Les deux suivants montrent comment ils s'articulent et s'interpénètrent dans les types de séquences et dans l'organisation du savoir et des valeurs. Le huitième chapitre incite à ne pas en rester à la clôture du texte pour percevoir ses relations avec le monde et les autres textes. La troisième partie propose deux *applications* de cette démarche. La première est consacrée à un *fragment*, le début de *Bel-Ami* ; la seconde s'attache à un roman entier, *Germinal*.

Éléments d'histoire du roman

Introduction

Éléments d'histoire du roman

Introduction

Il faut se méfier des histoires de la littérature et du roman. Plusieurs dangers les guettent. Trop brèves, elles se transforment en accumulation de noms, de titres, de dates et deviennent inutilisables. Plus développées, elles sont confrontées à des problèmes difficiles à résoudre. Tout d'abord celui de la *présentation chronologique* : elle tend à disposer en un continuum linéaire des évolutions complexes qui mêlent inextricablement permanence et nouveautés, enchevêtrements et ruptures. Elle sélectionne un nombre restreint d'œuvres dans le foisonnement de chaque époque. Elle se fonde aussi trop souvent sur un découpage par siècles, arbitraire et extérieur à l'histoire du roman.

Le second écueil est celui de l'*illusion rétrospective*. On construit une évolution par rapport à l'état actuel du roman. Or les valeurs du passé étaient différentes, les œuvres aujourd'hui légitimées ne l'étaient que rarement en leur temps et pas pour les mêmes raisons, le sens des textes et des pratiques de lecture et d'écriture n'était pas identique. Il faut donc se défaire de l'idée selon laquelle l'histoire romanesque serait une marche vers le progrès que matérialiseraient les œuvres contemporaines.

Un autre danger réside dans la *confusion entre causes et corrélations*. Il est certes possible de relever des rapports, des concomitances entre tel changement social et tel changement romanesque mais il ne s'agit que d'une corrélation. Affirmer que l'un est la cause – unique – de l'autre est toujours contestable et rarement précis. C'est le cas par exemple pour les guerres, constamment invoquées comme facteurs de transformation mais à des époques si différentes et pour des résultats si dissemblables que leur mode d'influence et leurs effets précis se doivent d'être considérablement affinés.

Un autre risque consiste à *unifier, arbitrairement et de façon simpliste*, ce qui se présente sur le mode de la diversité et de l'hétérogénéité. Guy de Maupassant écrivait déjà, en 1887, dans la préface à *Pierre et Jean* :

> «Or, le critique, qui, après *Manon Lescaut, Paul et Virginie, Don Quichotte, Les Liaisons dangereuses, Werther, les Affinités électives, Clarisse Harlowe, Émile, Candide, Cinq-Mars, René, les Trois Mousquetaires, Mauprat, le Père Goriot, la Cousine Bette, Colomba, le Rouge et le Noir, Mademoiselle de Maupin, Notre-Dame de Paris, Salambô, Madame Bovary, Adolphe, M. de Camors, L'Assommoir, Sapho*, etc. ose encore écrire : «Ceci est un roman et cela n'en est pas un», me paraît doué d'une perspicacité qui ressemble fort à de l'incompétence.»

Nous ne pensons pas, surtout en aussi peu de pages, être à l'abri de ces critiques. Il faut donc que le lecteur relativise constamment ce qui va suivre. Notre seule ambition est de présenter quelques éléments, *parmi d'autres*, qui nous paraissent de quelque utilité pour avoir une idée de l'importance des mutations de l'univers romanesque et des facteurs qui ont pu, directement ou indirectement, y contribuer.

I. Roman et littérature

1. Roman et écrit

Certains traits actuels des romans semblent à ce point évidents que l'on oublie parfois de les signaler : il s'agit d'œuvres *écrites*, en *prose* et en *français* (pour ce qui nous concerne). Pourtant ces caractéristiques n'ont émergé que progressivement. Il a fallu passer dans certains cas de l'oral, des chansons, à l'écrit. Il a fallu complémentairement passer de la versification à la prose (les chansons de geste sont des poèmes épiques en décasyllabes) ou écrire directement en prose. Il a encore fallu passer de la langue savante, la langue latine, aux langues vulgaires. Ainsi, au début du XIIe siècle, *roman* signifie «langue vulgaire» et le verbe *romancer* a le sens de «traduire du latin en français» au XIIIe siècle, et d'«écrire en français» au XIVe.

Le développement du roman se comprend donc sur la base du développement de l'écrit (le papier ne se généralise d'ailleurs qu'au XIIIe siècle), de la diversification de ses fonctions et de la multiplication du lectorat (au-delà du cercle des clercs et des cours) du moyen-âge à nos jours. Il est aussi tributaire de l'unification linguistique qui ne sera véritablement réalisée qu'au XXe siècle grâce aux mutations politiques (centralisation et rôle de l'État), économiques, commerciales, et au poids de l'École.

Cette unification linguistique suppose en outre, sur le plan scriptural, la stabilisation des codes syntaxique et orthographique. Les extraits donnent une image déformée parce que modernisée de l'écriture des auteurs du passé. Jusqu'à la fin du XVIIIe siècle au moins, l'orthographe varie de façon importante d'un auteur ou d'un imprimeur à l'autre.

Ces dimensions sont essentielles : non seulement elles favorisent l'appropriation des romans par de multiples lecteurs mais encore elles permettent d'analyser l'originalité d'un style ou d'un travail sur la langue en termes de variations ou d'écarts par rapport à une norme. L'histoire du roman est liée au développement de la codification et de la conscience de la langue qui s'incarnera dans l'essor des dictionnaires, des grammaires et des encyclopédies.

2. Roman et littérature

C'est aujourd'hui une banalité que d'affirmer l'appartenance du roman à la littérature. On oublie ainsi trop rapidement que la notion de littérature et ce qu'elle désigne se constitue progressivement et ne s'affirme véritablement que dans la seconde moitié du XIXe siècle.

La littérature suppose des *agents* spécifiques (auteurs, éditeurs, libraires, imprimeurs, critiques, libraires, lecteurs…), assez nombreux et suffisamment diversifiés, relativement *autonomes* par rapport au reste de la société et notamment aux Pouvoirs extérieurs (politique, religieux…).

Or, pendant longtemps, il existe en France une indifférenciation des fonctions. Le corps des critiques ne se constitue véritablement qu'au XIXe siècle. Le Cercle de la Librairie ne se scinde en Chambre syndicale des Libraires et en Syndicat National des Editeurs qu'en 1892, consacrant ainsi la séparation des rôles.

Durant des siècles, le Pouvoir tentera de contrôler les publications par une censure préalable et rigide. Cela explique les ennuis constants des écrivains avec la justice : interdictions, procès (*Madame Bovary*), prison ou fuite. La plupart des romans du XVIIIe siècle que nous célébrons ont été imprimés clandestinement en France ou à l'étranger. Les préfaces qui «manifestent» les distances d'un auteur avec le contenu du livre attestent aussi de ces risques. D'une certaine façon, les transgressions incessantes du roman participent du combat de la littérature pour son autonomie : que les critères ne soient plus externes (politiques, moraux…) mais internes (esthétiques) et soumis aux seules autorités s'exerçant au sein du champ littéraire (écrivains, revues, critiques…).

Les auteurs mettent aussi des siècles pour affirmer leur statut de créateur et conquérir la propriété de leurs textes. Il faudra attendre

1777 pour que le privilège de publication soit transférable sur l'auteur et nombre d'écrivains se sont battus pour cette reconnaissance. Beaumarchais organise en 1777 la Société des Auteurs et des Compositeurs ; Balzac publie en 1836 sa *Lettre aux écrivains français* ; la Société des Gens de Lettres est créée en 1838 ; Victor Hugo préside en 1878, à Paris, le Congrès de la propriété littéraire. La loi de 1886 garantira cette propriété à l'auteur et à ses descendants.

Cette histoire de l'émergence du droit d'auteur et de la propriété littéraire est fondamentale pour comprendre des mutations essentielles. Elle révèle la soumission antérieure des auteurs à des instances économiques ou politiques qui leur assurent la survie matérielle et la protection. Les dédicaces aux «Grands» ne sont pas de simples formules. En l'absence d'un public suffisant et de gains assurés, les auteurs recherchent les moyens de garantir leur existence.

De ce point de vue le développement de l'alphabétisation (du XVe au XIXe siècle) sera une grande chance pour les écrivains. La presse accompagnera ce mouvement en favorisant les progrès techniques, en facilitant l'édition bon marché, en ouvrant des carrières d'appoint et en servant de «rampe de lancement» par le biais des feuilletons. Le nombre de titres ne cesse d'augmenter (1 000 par an en 1720, 8 000 en 1856, 14 849 en 1889, 30 000 en 1986), les tirages s'accroissent (4 5000 pour le premier tirage de *La Nouvelle Héloïse* en 1761, ce qui est un succès ; autour de 100 000 pour certains titres de Zola, seulement à la fin du XIXe siècle ; plusieurs millions pour les best-sellers actuels…). Le public offre – pour certains écrivains – la possibilité d'une autonomie matérielle ; il diversifie aussi la demande selon les milieux, les sexes, les âges : Hetzel met sur pied l'édition pour enfants à partir de 1843, Hachette crée la Bibliothèque rose en 1855. En fait dès la fin du XIXe siècle, la plupart des genres et des types de romans que nous connaissons se sont établis. Cette histoire peut aussi expliquer comment les écrivains se sont impliqués dans la lutte pour l'instruction publique. La «mission sociale» traverse – au XIXe siècle – aussi bien les œuvres de Balzac et de G. Sand que les romans «populaires» : *Les Mémoires du diable* de F. Soulié (1837-38), *Les Mystères de Paris* d'E. Sue (1842-43), *Le Comte de Monte-Cristo* (1846) d'A. Dumas ou *La Porteuse de pain* de X. de Montépin (1889).

Le combat pour la propriété de l'auteur sur son texte révèle un autre fait important, bien souvent sous-estimé. La notion d'*originalité*, constitutive de notre conception du littéraire, ne s'élabore que lentement. Il faudra attendre les XVIIIe et XIXe siècles pour la voir s'affirmer comme valeur fondamentale. Auparavant, c'est le respect des codes, de l'équilibre, des Autorités (les Anciens) qui prime. Le plagiat n'est pas – comme aujourd'hui – rédhibitoire et les auteurs avouent sans gêne leurs emprunts, tels La Fontaine, ou Lesage qui commence ainsi *Le Diable boiteux* :

> «Au très illustre auteur de Louis Velez de Guevara
>
> Souffrez, seigneur de Guevara, que je vous adresse cet ouvrage. Il n'est pas moins de vous que de moi. Votre *Diablo Cojuelo* m'en a fourni le titre et l'idée. J'en fais un aveu public. Je vous cède la gloire de l'invention, sans approfondir si quelque auteur grec, latin ou italien ne pourrait pas justement vous la disputer.
>
> Je dirai même qu'en y regardant de près, on reconnaîtra dans le corps de ce livre quelques-unes de vos pensées ; car je vous ai copié autant que me l'a pu permettre la nécessité de m'accommoder au goût de ma nation.»

La «littérature» du moyen-âge est truffée de reprises (des mêmes thèmes et des mêmes personnages), de reécritures (le *Graal*), de continuations (*Le Roman de la Rose* – 1230 – 1270-1280 – est commencé par Guillaume de Lorris et achevé par Jean de Mung). Aux XVIe et XVIIe siècles, les écrivains recourent à des lieux communs, des *topoï*. La soumission aux Règles est l'horizon dominant de l'écriture… Ce n'est donc qu'aux XIXe et XXe siècles que l'originalité deviendra une valeur (et une obsession) des auteurs qui chercheront à rompre aussi bien avec les clichés internes (ce qui se fige dans la littérature) qu'avec les clichés externes (ce qui est répandu dans les discours sociaux…).

L'autonomisation de l'espace littéraire aura aussi une conséquence sur les *thèmes* romanesques. Un certain nombre de romans mettront en scène des acteurs de l'édition ou de la presse, des écrivains qui cherchent à réussir, des scènes de la vie d'artiste (Balzac, *Illusions perdues* ; H. Murger : *Scènes de la vie de bohème*…), une esthétisation de la vie (le dandysme…) ou encore la pratique même de l'écriture. C'est le cas, dans ces dernières décennies, avec le motif récurrent du romancier en train d'écrire son livre.

Complémentairement, les débats deviennent de plus en plus internes. La littérature dépendant moins de pouvoirs externes, les discussions s'effectuent de plus en plus entre écrivains, entre écoles, entre groupes qui s'opposent entre eux. Ce phénomène s'est développé dans la seconde moitié du XIXe et accentué au XXe siècle. L'évolution du «champ littéraire» semble le détacher progressivement des interventions externes pour se motiver «par l'intérieur», ce qui explique dans les *Manifestes* les multiples références critiques aux autres mouvements et dans les romans la mise en cause privilégiée des traits dominants des autres écoles : le *Nouveau Roman* s'attaque ainsi à la représentation réaliste, à l'intrigue, aux personnages et à la psychologie... défendus par ses prédécesseurs et par ses concurrents.

3. Le roman comme forme littéraire dominante

Le roman est aujourd'hui la forme littéraire dominante. Cela n'a pas toujours été le cas, il s'en faut de beaucoup.

L'hégémonie du roman est évidente *sur le plan commercial*. Il suffit de considérer le nombre d'éditeurs, d'auteurs, de titres, les tirages et le public. La poésie contemporaine en France se réduit de plus en plus à de petits éditeurs et à une édition à compte d'auteur. Les tirages dépassent rarement les mille exemplaires. Les romans au contraire connaissent toute la gamme des tirages : de quelques centaines pour les collections de recherche, à des centaines de milliers pour les Prix, jusqu'à des millions pour les best-sellers qui s'appuient sur la mondialisation des produits. *Mais il ne s'agit pas d'une inversion*. Lorsque le public était plus réduit, les tirages des différents genres étaient équivalents. Dès que le public s'est élargi (au XVIIIe et surtout au XIXe siècle) c'est le roman qui en a profité, confirmant une réalité déjà patente dans la diffusion de la littérature de colportage. L'intérêt narratif, les aventures et des règles formelles moins strictes, correspondaient sans doute mieux à un nouveau public, moins nourri de culture classique et de savoir rhétorique, qui ne partageait pas la connivence culturelle des auteurs et des lecteurs des siècles passés.

Mais la domination est aussi de *nature symbolique*. Pendant longtemps le roman a été considéré comme un genre mineur, peu légitimé. Les théoriciens classiques lui reprochaient d'avoir été peu pratiqué par les Anciens (il était en tous cas absent des grands traités telle la *Poétique* d'Aristote), de ne pas se soumettre à des règles strictes, de favoriser l'immoralité, de donner libre cours à l'invraisemblance (au XVIIe siècle l'idée de roman est associée à des aventures extraordinaires ou à la déformation de faits vrais). Il faut attendre la seconde moitié du XVIIe siècle pour que le roman devienne véritablement un objet de débat (P.D. Huet : *Traité sur l'origine des romans*, 1670). Mais c'est au XVIIIe siècle que la discussion se développe véritablement sous diverses formes : préfaces ou postfaces justifiant la vérité ou le vraisemblable de l'histoire ainsi que sa moralité, «manifestes» (Diderot, *Éloge de Richardson*, 1762), traductions et mises en pratiques qui se veulent exemplaires. De ce point de vue les traductions de l'anglais (*Tom Jones* de Fielding en 1750, *Clarisse Harlowe* de Richardson en 1751...) ainsi que les romans de Diderot (*La Religieuse*, 1760, *Le Neveu de Rameau*, 1762, *Jacques le Fataliste*, 1762) et de Rousseau (notamment *La Nouvelle Héloïse*, en 1761) constituent des dates charnières, des jalons dans l'histoire de la légitimation du roman.

Le roman profitera aussi de son aptitude à s'emparer de valeurs nouvelles liées aux mutations sociales. Il apparaît comme le genre de la *liberté* qui échappe au carcan des règles anciennes et permet *l'innovation* formelle ou thématique. A priori sans limites, il peut dire aussi bien l'*individu* (toute la littérature du Moi) que le *social*. Il peut encore accaparer l'idée de *progrès* par son engagement ou la critique sociale, par la production d'une vision du monde qu'il veut précise et exhaustive (le réalisme) puis scientifique (le naturalisme). De ce point de vue, le XIXe siècle est bien l'époque où *le roman se constitue en référence*. Il se défait de son image d'invraisemblance pour se poser en garant du réalisme, en concurrent de la vision scientifique et même en instrument de connaissance. Dès lors c'est la poésie qui se trouve peu à peu renvoyée vers l'artificiel, le conventionnel ou l'imaginaire. Les manifestes (*Le Roman expérimental*), les préfaces, les œuvres insistent inlassablement sur cette question du réalisme. L'enjeu – il est vrai – était de taille : la reconnaissance du roman et la production d'une façon d'écrire et de lire le monde qui sert encore aujourd'hui, en grande partie, de référence.

Mais cette double domination, symbolique et économique, mettra encore quelque temps pour s'installer. Il faudra, pour achever cette conquête, la disparition progressive d'écoles ou de groupes poétiques suffisamment «forts» pour concurrencer les romanciers d'une manière ou d'une autre : la dernière, constituée par les Surréalistes, date d'avant-guerre. Il faudra encore que les grands relais que sont les revues culturelles se spécialisent : c'est chose faite avec la *N.R.F.* (en 1909), *Les Temps Modernes* (1945), puis *Tel Quel* (1960). Il faudra aussi que les Prix qui marquent la reconnaissance s'imposent : le Prix Goncourt fondé en 1903 est d'abord considéré d'avant-garde, puis en 1918 le nom du lauréat est publié au Journal Officiel et à partir de 1920-1930 l'édition, la presse, la librairie et le public le relaient. Il est devenu une référence au centre d'une constellation d'autres prix : Fémina (fondé en 1904), Renaudot (1926), Interallié (1930), Médicis (1958), des Maisons de la Presse (1969...). Significativement les débats sur la littérature tendent à se confondre avec les débats sur le roman et les réflexions des romanciers (Calvino, Kundera, Nabokov, Robbe-Grillet, Sollers...) tiennent le haut du pavé... L'opposition n'est plus entre genres nobles et roman mais entre romans légitimés et romans mineurs (policiers, sentimentaux, d'espionnage...).

LECTURES CONSEILLÉES

Il existe de nombreuses histoires de la littérature ou du roman, générales, par siècles ou centrées sur un genre ou un courant. Chacune présente des intérêts et des limites. Plutôt que d'en sélectionner arbitrairement deux ou trois, nous préférons inviter à la lecture d'ouvrages qui éclairent l'histoire du roman en relation avec le développement de l'écrit, la constitution de la littérature, les luttes pour sa reconnaissance.

ABASTADO Claude,
   Mythes et rituels de l'écriture, Bruxelles, Ed. Complexe, 1979.

CHARTIER Pierre,
   Introduction aux grandes théories du Roman, Paris, Bordas, 1990.

DELFAU Gérard et ROCHE Anne,
   Histoire-Littérature, Paris, Seuil, 1977.

DUBOIS Jacques,
   L'Institution de la littérature, Bruxelles, Nathan-Labor, 1978.

MARTIN Henri-Jean, CHARTIER Roger et VIVET Jean-Pierre (Eds.),
   Histoire de l'édition française, Paris, Promodis (4 tomes), 1982-1986.

VESSILIER-RESSI Michèle,
   Le Métier d'auteur, Paris, Dunod-Bordas, 1982.

VIALA Alain,
   Naissance de l'écrivain, Paris, Minuit, 1985.

II. Roman et société

Les corrélations entre roman et société sont multiples et de niveaux différents. Nous n'indiquerons dans ce chapitre que quatre perspectives possibles et cela de façon très sommaire. Il ne s'agit – en tout état de cause – que de pistes de réflexion.

1. Roman et changements de société

A un niveau très global, il existe – sur plusieurs siècles – des changements radicaux de l'organisation sociale, sur les plans économique, politique, culturel, etc. Ainsi la France est passée d'une organisation féodale et monarchique à des structures bourgeoises, libérales, démocratiques.

Ces transformations considérables ont modifié le statut et la perception de multiples éléments dans le monde réel et dans les formes romanesques.

Ainsi, la notion d'*individu* émerge progressivement. La personne (et le personnage) n'est plus un simple emblème de sa caste sociale (le chevalier, le paysan...) ou un symbole des attitudes possibles dans le monde (les différences entre les chevaliers de la Table Ronde). Il se singularise, il se complexifie psychologiquement, il est digne d'exister quelle que soit sa naissance. Du coup, les héros se diversifient et n'apparaissent plus comme des représentants exemplaires de leur communauté. Cette mutation est considérée comme un des facteurs de transition entre l'épopée et le roman.

Complémentairement, le *temps* n'est plus vécu comme cyclique. Tout bouge, tout change.. On sort de la répétition pour intégrer des catégories comme l'évolution, le progrès, le sens de l'histoire… Le héros construit son existence et ne fait pas que vérifier la valeur de son essence, de sa prédestination. Un futur autre et inconnu ou prometteur peut exister, les personnes et l'humanité sont «en marche».

Petit à petit se construit la possibilité d'une *mobilité sociale* et d'*inter-pénétrations* entre les milieux. L'espace des romans s'ouvre et se diversifie, les personnages cherchent à changer de condition, à *parvenir*, parfois à transformer le monde.

L'émergence de l'individu et des changements d'existence possibles favorisent une thématique de l'*évaluation de sa vie*, puisque tout n'est plus joué d'avance, ni individuellement, ni socialement. Les XVIIIe et XIXe siècles présentent une mise en scène romanesque importante du bonheur, du malheur, de l'espoir, des regrets, du mal de vivre. Le *Moi* s'affirme avec des sentiments variés et mêlés, des émotions… On peut penser aussi bien à certains romanciers de la seconde moitié du XVIIIe siècle comme J.J. Rousseau ou Bernardin de Saint-Pierre, qu'aux écrivains du XIXe siècle tels Chateaubriand (*René, Les Mémoires d'Outre-tombe…*) Senancour (*Oberman*) ou Benjamin Constant (*Adolphe*).

2. Roman et conflits

A un autre niveau, les conflits ont sans doute exercé des influences sur le roman. Celles-ci ont pu prendre des formes très différentes.

En premier lieu les conflits ont permis d'accroître l'importance de l'écrit et de valoriser les écrivains. Ainsi aux XVIe et XVIIe siècles les luttes religieuses ou les affrontements entre les Grands et la Royauté ouvrent un espace à l'écrit sous une forme polémique directe (les pamphlets) ou indirecte. A la fin du XIXe siècle, l'Affaire Dreyfus va consacrer un nouveau statut social important : celui d'*intellectuel*. Progressivement, s'affirment donc les *pouvoirs* de l'écrit qui font des romanciers des intervenants recherchés. Conséquemment au XXe siècle, la question de l'*engagement* sera l'une des plus débattues selon différentes modalités. Face à des conflits sociaux, politiques, nationaux, le romancier peut-il et doit-il s'engager, affirmant son pouvoir sur la société mais risquant de se soumettre à des impératifs externes, ou doit-il mener une lutte interne à l'espace artistique, opérer des révolutions essentiellement formelles ?

Ce débat empruntera les voies du *réalisme* (le roman doit-il viser une représentation «juste» de la société et quelle peut-elle être ?), du *rapport au lectorat* (le roman doit-il enseigner aux lecteurs et leur expliquer les chemins à suivre ?), des *finalités* (le roman doit-il divertir, instruire, modifier le réel et/ou l'art ?)...

Il est compliqué par des phénomènes d'*alliance* auxquels seront confrontés les groupes et mouvements. Les artistes connaîtront-ils un meilleur statut dans une autre société ? S'ils s'opposent aux «bourgeois», ont-ils à s'allier avec les forces qui contestent la société bourgeoise et de quelle nature peut-être cette alliance ?

Ces problèmes et leurs enjeux expliquent l'importance des relations (de collaboration ou d'opposition) entre les écrivains et les partis, notamment le parti communiste. Il ne faut pas oublier pour les évaluer que deux guerres mondiales se sont succédées au XXe siècle et que la question de la *révolution sociale* a occupé le devant de la scène depuis 1917.

Comme on le voit, tous ces phénomènes sont d'une grande complexité. Ils n'excluent pas d'autres mises en relation plus répandues. Ainsi les conflits et les guerres engendrent des thèmes spécifiques dans la fiction (histoires de guerre, critiques, valorisation de son camp, dénonciation de l'autre...), des changements sociaux (mutations économiques et dans les mœurs...) que l'on verra émerger dans les textes... Ils suscitent des personnages désespérés, en quête d'explications, en proie aux doutes...

Conflits et guerres modifient aussi le jeu des influences entre littérature françaises et littératures étrangères. Ainsi, les lendemains de la seconde guerre mondiale ont connu un regain des traductions anglo-saxonnes dont la France avait été sevrée. La *Série Noire* va alors naître et se développer.

Enfin, les guerres soulèvent de façon cruciale la question du *dicible* et du *romanesque*. Cela a été particulièrement le cas avec la découverte des camps de concentration. Si le roman est *a priori* protéiforme et ouvert à tous les thèmes, jusqu'où peut-il *tout* dire et *tout* romancer ? Comment soumettre ce qui relève de l'horreur à des jugements esthétiques ?

Dans cette histoire reviennent donc incessamment les questions de l'ouverture ou de la fermeture du roman au monde extérieur, de la responsabilité de l'écrivain, des pouvoirs de l'écriture, de sa capacité à rendre compte du réel et des formes nouvelles à trouver pour restituer les bouleversements du monde.

3. Roman et transformations sociales

Les transformations démographiques, économiques, sociales, techniques qui changent le monde et l'existence ne sont pas sans répercussion sur le roman. Nous en prendrons deux exemples parmi beaucoup d'autres.

L'*urbanisation* qui s'accélère aux XIXᵉ et XXᵉ siècles impose le thème de la ville. Celui-ci va jouer à différents niveaux dans le roman. Aux lieux traditionnels (châteaux, cours, chemins...) il substitue un lieu qui *concentre* des trajets spatiaux et sociaux autrefois éclatés (des beaux quartiers aux bas quartiers), il symbolise de fait la mobilité sociale et l'aventure individuelle. Ce lieu unit aussi des actions autrefois dispersées : la rencontre, les dangers, la sécurité... Il permet la description de milieux différents et l'interpénétration des groupes sociaux. Il secrète de nouvelles métaphores : la ville comme animal ou comme jungle... Il en réactive d'anciennes : les souterrains, les labyrinthes, le pouvoir occulte des sociétés secrètes dans les coulisses de la ville...

Les *progrès techniques* s'imposent progressivement dans les *transports*. Par ce biais, c'est toute une vision de l'*espace* et du *temps* qui se trouve modifiée. Le raccourcissement des déplacements signifie une réduction du temps des voyages (et de certaines séparations ou fuites) et une augmentation de l'espace disponible connu. Ce qui est digne d'être raconté change : on passe de chroniques de voyages en France ou en Europe à une intégration de l'univers, voire d'autres univers, dans la fiction. Un tour du monde en quatre-vingts jours n'est plus l'objet de paris insensés. Conséquemment, l'Étranger perd de son étrangeté. Le thème du Persan au regard étonné sur notre monde s'efface. L'Étranger devient intime, intérieur, ou se fige en conventions exotiques dans la littérature de masse. Les trajets à pied ou à cheval sont remplacés par ceux en train ou en avion. Dès lors les visions elles-mêmes changent et s'accélèrent, les possibilités de rencontre se multiplient, les décisions se prennent plus vite, en quelques heures de Paris à Rome ou à New York.

Ces transformations appellent deux remarques. Tout d'abord elles ont radicalement modifié l'espace-temps et sa symbolisation dans le roman : vitesse, diversité, multiplicité ont remplacé durée, nombre limité et conventions de lieux. Ensuite, elles permettent de réfléchir à cette imbrication entre permanence et nouveauté que nous signalions précédemment. Permanence de *thèmes* d'un côté, avec par exemple le voyage. Mais modifications incessantes de l'autre côté : augmentation et diversification des lieux et des moyens de locomotion, relativisation et confrontation des visions et des valeurs, insertion de scènes nouvelles, création de métaphores, changement de sens d'anciennes figures, intégration d'un lexique technique ou ethnographique différent...

4. Roman et savoirs

Une autre dimension encore est susceptible d'influencer l'évolution romanesque : celle des savoirs.

Elle s'exerce tout d'abord par la configuration générale des connaissances au sein de laquelle s'inscrivent la littérature et le roman. Il faudra des siècles pour que les sciences et l'art s'affranchissent du pouvoir religieux. Le XVIIe siècle est, de ce point de vue, un tournant avec l'affirmation d'une démarche scientifique autonome. Puis il faudra encore attendre les XVIIIe et XIXe siècles pour que la littérature se spécifie à la faveur de l'éclatement des Belles Lettres qui réunissaient histoire, sociologie, philosophie, etc., dans des formes qui nous font hésiter sur le classement de certains auteurs (Michelet) et de certains textes. Mais ces distinctions opérées, le roman devra réfléchir sur les savoirs et les formes qui lui sont laissées.

La seconde moitié du XIXe siècle a vu s'affirmer une option qui était celle de la concurrence et de la complémentarité avec les sciences sociales et le journalisme. Tourné vers l'extérieur, vers la représentation du monde, le roman exploite une de ses veines les plus classiques et les plus porteuses : il se fonde sur les connaissances et les témoignages, il travaille les codes réalistes, les conditions de la vérité, etc...

La fin du XIXe siècle et le début du XXe connaîtront un prodigieux essor de la psychologie, puis de la psychanalyse. Une autre veine romanesque sera parallèlement réactivée : celle de l'aventure intérieure, de l'individu, de l'expression. Cela prendra de nouvelles formes : celles du flou, du contradictoire, du monologue intérieur, de la multiplication des perspectives...

Mais le roman peut-il concurrencer ou «appliquer» des savoirs, même nouveaux ? Ce faisant ne continue-t-il pas de s'inféoder à ce qui lui est extérieur ? Ce sera la position de nombre d'écrivains, de Gide (*Les Faux-Monnayeurs* et le *Journal des Faux-Monnayeurs*) à *Tel Quel* qui recentreront le roman sur lui-même par le jeu de la *mise en abyme* : l'écriture devient le sujet du roman. Pour détourner un mot célèbre de J. Ricardou, on pourrait dire qu'au roman de l'aventure (de l'extériorité du monde ou de l'intériorité de l'individu) succède l'aventure du roman qui se réfléchit.

Il ne s'agit bien sûr que de pistes très fragmentaires. La question des savoirs qui génèrent le roman ou dont le roman se nourrit est d'une grande importance (voir plus loin le chapitre 7 de la seconde partie). Elle est liée à celle des *valeurs*. En effet le développement et la multiplication des savoirs institutionnels et scientifiques modifient et relativisent les valeurs autrefois univoques imposées par les pouvoirs politique et religieux. Cela permet au roman de brasser et d'opposer en son sein nombre de systèmes de valeurs différents ; cela lui permettra au XXe siècle de brouiller ou de suspendre tout système évaluatif en son sein...

LECTURES CONSEILLÉES

BAKHTINE Mikhaïl,
   Esthétique de la création verbale, Paris, Gallimard, 1984.

COLLECTIF,
   Que peut la littérature ?, Paris, U.G.E, 1965.

SARTRE Jean-Paul,
   Qu'est-ce que la littérature ?, Paris, Gallimard, 1947.

WARDI Charlotte,
   Le Génocide dans la fiction romanesque, Paris, PUF, 1986.

ZÉRAFFA Michel,
   Roman et société, Paris, PUF, 1971.

III. Illustrations : personnage et description

Après avoir disposé quelques jalons très généraux, nous allons maintenant essayer de voir plus concrètement, sur deux exemples, le personnage et la description, comment peuvent se marquer, en termes formels, les dimensions historiques évoquées.

1. Le personnage

Aux origines du personnage

Dans un premier temps, le personnage semble se caractériser par ses limites et ses conventions. La répétition est sa loi : les mêmes personnages reviennent de texte en texte, ce sont des *types* qui représentent leur communauté ou leur caste de façon exemplaire. Leur portrait est réduit à peu de mots et réitère les mêmes traits physiques. Ils suivent des trajets identiques, quêtes et conflits, au travers d'aventures similaires. Ce sont des *rôles* dans des genres codifiés (chansons de geste ou fabliaux), des personnages sans liberté qui réalisent un destin préétabli. Diverses déterminations pèsent sur eux : certaines d'ordre social qui n'isolent pas l'individu de son groupe et de sa communauté, d'autres d'ordre scriptural qui soumettent la création à un arrangement des mêmes *topoï*, connus du public, ce qui épargne les descriptions par un renvoi à la connivence culturelle.

Transformations et diversification des personnages

Une évolution nette se fera sentir de la fin du moyen-âge au début du XXe siècle. Les personnages se diversifient socialement et se développent par la mise en texte de traits physiques variés et d'une épaisseur psychologique à laquelle vient s'adjoindre *la possibilité de se transformer* entre le début et la fin du roman. Plus réalistes, ils n'accomplissent plus seulement des destins héroïques mais vivent des existences parfois misérables. Leurs valeurs s'opposent de façon plus complexe. Le narrateur désigne de façon moins manichéenne les bons et les méchants. De fait, le passage à une société moins figée et moins hiérarchisée, l'émergence historique de la notion d'individu et les affrontements de valeurs ont ouvert des possibles. Complémentairement, la prise de conscience progressive d'un écrit littéraire, de l'originalité comme valeur, de la liberté de création, de la personnalité du créateur ont permis une libération des cadres préexistants. Des genres ou des courants manifestent cela : littérature du Moi et de la sensibilité avec le développement du *discours*, romans par lettres (avec la diversité des points de vue), romans réalistes (avec des personnages populaires saisis dans leur travail, leur sexualité…). Plus généralement, le *héros* quitte son autel pour céder la place au «personnage principal», les portraits s'expansent et ne sont plus soumis au Beau, les trames peuvent varier et n'être pas fixées d'avance…

Tendances contemporaines

La fin du XIXe et le XXe siècle connaîtront le développement de deux tendances au moins. D'une part, l'affinement du traitement psychologique du personnage sous l'influence notable de la psychanalyse. Cela peut se marquer par un travail de plus en plus acéré sur le monologue intérieur en quête des pensées les plus infimes ou sur les changements de points de vue qui relativisent toute prétention à une vision «objective». D'autre part, se manifeste, sous l'influence du structuralisme, une mise en cause du personnage comme «reflet» de la personne. Dans ces deux cas qui peuvent voisiner dans un même groupe (N. Sarraute et A. Robbe-Grillet liés au Nouveau Roman) le développement du champ littéraire et les luttes entre romanciers ont sans doute pesé lourd. Il s'agissait de se distinguer aussi bien de l'écriture romanesque devenue traditionnelle (réalistepsychologique) que des Existentialistes solidement positionnés après la seconde guerre mondiale. On aboutit donc – provisoirement – à des personnages flous et incertains jusque dans leur nom, réduits parfois à de simples pronoms et à des intrigues conséquemment limitées à des jeux de paroles. Significativement, la psychologie qui avait ouvert des voies pour le développement des personnages est devenue l'accusée principale au même titre que le réalisme, comme si le roman voulait écarter tout ce qui pèse sur lui de l'extérieur.

2. La description

L'*organisation* de la description et ses *fonctions* dans le récit connaissent aussi des changements historiques significatifs.

Aux origines de la description

Au moyen-âge, la description a peu d'expansion et son rôle est secondaire. Peu fonctionnelle, elle pourrait être supprimée. Les «décors» ne sont pas particulièrement «fouillés», ils ont un aspect symbolique et les auteurs se limitent à une qualité du lieu ou de l'objet décrit. Lorsqu'il existe un minimum d'expansion, c'est l'énumération qui domine. Ainsi, entre absence et énumération, la question de l'*organisation interne* de la description ne se pose pas véritablement.

Sa *fonction* est essentiellement externe, sociale. Il s'agit d'un appel à une connivence culturelle autour de *lieux communs* partagés. La mention du lieu active des symboles, des actions obligées, des *topoï*. Il en est de même pour les portraits de personnages, réduits à quelques qualités et à des tournures syntaxiques récurrentes du type «X est si beau qu'il suffit de dire cela…».

Seules les *chroniques* (Joinville, Commynes…) développent quelque peu les descriptions pour authentifier le récit.

L'évolution de la description (XVIe – XVIIIe)

Du XVIe au XVIIIe siècle, la description évolue au travers d'un jeu complexe entre imitation et libération des modèles.

Aux XVIe et XVIIe siècles, la *description ornementale* domine. Elle est caractérisée, non par un souci réaliste, mais par la recherche du «beau». Les notions d'auteur et d'originalité ne se sont pas encore imposées, les Modèles et les Autorités pèsent sur l'écriture. L'utilisation des *topoï* est la règle avec ses lieux conventionnels et idéaux qui suscitent incessamment les mêmes motifs (cadres champêtres, fontaines, ruisseaux…). Le roman pastoral exacerbe cette veine dont l'extrait suivant donne une bonne idée :

LA DESCRIPTION DANS LE ROMAN PASTORAL

«Auprès de l'ancienne ville de Lyon, du côté du soleil couchant, il y a un pays nommé Forez, qui en sa petitesse contient ce qui est de plus rare au reste des Gaules, car étant divisé en plaines et en montagnes, les unes et les autres sont si fertiles, et situées en un air si tempéré que la terre y est capable de tout ce que peut désirer le laboureur. Au cœur du pays est le plus beau de la plaine, ceinte, comme d'une forte muraille, des monts assez voisins et arrosée du fleuve de Loire, qui prenant sa source assez près de là, passe presque par le milieu, non point encore trop enflé ni orgueilleux, mais doux et paisible. Plusieurs autres ruisseaux en divers lieux la vont baignant de leurs claires ondes, mais l'un des plus beaux est Lignon, qui vagabond en son cours, aussi bien que douteux en sa source, va serpentant par cette plaine depuis les hautes montages de Cervières et de Chamasel, jusques à Feurs, où Loire le recevant, et lui faisant perdre son nom propre, l'emporte pour tribut à l'Océan.

Or sur les bords de ces délectables rivières on a vu de tout temps quantité de bergers, qui pour la bonté de l'air, la fertilité du rivage et leur douceur naturelle, vivent avec autant de bonne fortune, qu'ils reconnaissent peu la fortune.»

(H. D'Urfé, *L'Astrée*).

Petit à petit cependant, avec les mutations sociales et les premiers éléments de constitution du littéraire, la *description* se fait *expressive*. La notion de génie créateur apparaît (avec les idées d'originalité et d'inspiration) et l'imagination entre en conflit avec l'imitation. La description tend de plus en plus à *exprimer* le caractère propre d'un auteur et se fonctionnalise en cherchant à *symboliser* plus précisément une atmosphère ou un personnage. Les paysages, extérieur et intérieur, se reflètent. Dans *Paul et Virginie*, la nature tourmentée manifeste les tempêtes que vivent les personnages.

A partir du XVIIIe siècle, la conscience narrative se développe sous l'effet d'une tradition scripturale qui s'établit mais aussi d'une autonomisation des auteurs et d'un élargissement du public. La description est perçue comme un ralentissement du récit dont il faut se méfier si l'on veut conserver la fonction plaisante du roman. Les descriptions ornementales sont mises en cause : leur nombre et leur taille se réduit. De surcroît, les auteurs essaient de *finaliser* les descriptions par une fonction documentaire (apprendre au lecteur) et une fonction métonymique (les descriptions «éclairent» le pays et ses habitants, les objets renvoient au personnage). Ces fonctions apparaissent clairement chez J.J. Rousseau (*La Nouvelle Héloïse*) ou chez D. Diderot (*Jacques le Fataliste*).

Cela n'empêche cependant pas la tradition de la *description expressive* de se poursuivre parallèlement jusqu'au XIXe siècle (avec les Romantiques) et même, de façon plus ponctuelle, dans des romans du XXe siècle, par les relations métaphoriques entre les éléments de la nature et les émotions ou sentiments des personnages.

Le triomphe du modèle représentatif

La seconde moitié du XIXe siècle verra le triomphe du modèle représentatif qui imprègne encore nos conceptions de la description romanesque. Ce modèle repose sur plusieurs piliers.

En premier lieu s'impose la *volonté mimétique*, le souci de «faire vrai», de montrer le monde tel qu'il est, sans l'embellir et sans passer par le filtre des *topoï*. L'auteur a une mission de connaissance, concurrente de celle du savant. Il doit «objectiver» le réel et non plus se laisser aller aux divagations de la subjectivité. Le «vrai» remplace le pittoresque, avec une attention aux «détails» qui authentifient, et un désir d'exhaustivité.

La *volonté mathésique* renforce ce premier rôle : les auteurs ont le souci didactique d'instruire le lecteur en insérant dans le roman – par le biais des descriptions – du *savoir* venu d'enquêtes et de lectures préalables.

Enfin, pour ne pas risquer de soumettre l'intérêt narratif à l'apport de l'informatif, il fallait développer la *fonctionnalité* des descriptions. Depuis Balzac la métonymie s'impose : les descriptions sont des indices des personnages par contiguïté, elles rendent l'action vraisemblable et compréhensible. Les romanciers réalistes et naturalistes travailleront plus particulièrement la *justification* de la description : son *introduction* dans le récit par le discours, la vision ou l'action des personnages, sa *crédibilité* par des scènes, des lieux et des motivations favorables (voir le chapitre 6 de la deuxième partie).

Le roman conquiert à ce moment, progressivement, sa dignité : il peut être vraisemblable, il peut instruire. Et simultanément, il peut intéresser, narrativement, un public qui s'élargit et se diversifie avec les progrès de l'instruction.

LA DESCRIPTION SELON ZOLA

«Décrire n'est plus notre but ; nous voulons simplement compléter et déterminer. Par exemple, le zoologiste qui, parlant d'un insecte particulier, se trouverait forcé d'étudier longuement la plante sur laquelle vit cet insecte, dont il tire son être, jusqu'à sa forme et sa couleur, ferait bien une description, mais cette description entrerait dans l'analyse même de l'insecte, il y aurait une nécessité de savant, et non un exercice de peintre. Cela revient à dire que nous ne décrivons plus pour décrire, par un caprice et un plaisir de rhétoriciens. Nous estimons que l'homme ne peut être séparé de son milieu, qu'il est complété par son vêtement, par sa ville, par sa province ; et, dès lors, nous ne noterons pas un seul phénomène de son cerveau ou de son cœur, sans en chercher les causes ou le contrecoup dans le milieu.»

(*Le Roman expérimental*)

Contestations et mutations de la description

Ce modèle représentatif, même s'il conserve une fonction de référence et est fréquemment repris dans nombre de romans, a été contesté de différentes façons au XXᵉ siècle.

Ainsi, pour certains auteurs (dont Proust), l'important réside non dans un «réel objectif» mais dans les perceptions et les sensations. La réalité est fragmentée, multi-forme, floue et bien souvent décevante. Les réminiscences et les sensations associées produisent un réel plus intéressant.

André Breton et les Surréalistes, imprégnés par la psychanalyse, s'attacheront non à la reproduction mais à la création et aux émotions. Ils contesteront la volonté de mimer le réel (les cartes postales existent pour cela) et la figuration réaliste en général. Dans *Nadja*, Breton élimine les descriptions ou les redouble de dessins ou de photos.

La description, en tant que pilier de la Représentation, sera aussi radicalement contestée par le *Nouveau Roman* qui lui reproche son caractère conventionnel et son idéalisme, ainsi que la volonté didactique qui lui était associée. Mais, par une autre stratégie, ces écrivains l'expanseront : l'intérêt se porte sur les mécanismes textuels eux-mêmes. Soit l'histoire résidera dans les variations descriptives elles-mêmes, soit elle sera engendrée par les éléments que suscitent les comparaisons à l'œuvre (Cl. Simon, *Leçon de choses*, Minuit, 1975).

En fait, à l'heure actuelle, la description romanesque connaît toutes les formes évoquées. D'un côté, des tentatives de renouvellement issues d'un mouvement de recherche qui tend à autonomiser l'écriture littéraire de contraintes externes (l'objectivité, l'instruction), de la soumission au grand public (la Représentation, l'intérêt porté à l'histoire) et qui intègre de nouveaux regards scientifiques (la relativité en physique ou en psychanalyse). De l'autre, perdurent des moules plus anciens dans le roman «grand public», variables selon les genres et les attentes de la fraction de lectorat concernée (l'hypertrophie descriptive de la construction des mondes dans la science-fiction ou les *topoï* limités du roman sentimental).

3. Une synthèse impossible ?

Le modèle historique sous-jacent

Toute mise en place d'éléments historiques suppose un modèle sous-jacent. S'il peut aider à organiser, il est en tous cas nécessaire de l'objectiviser pour mieux en percevoir les intérêts et les limites.

La première phase serait constituée par la lente émergence des composantes de base du roman, du moyen-âge au XVIe siècle. Le roman se fonde sur l'écrit, la prose, la langue vulgaire et se manifeste dans les «interstices» des genres nobles, dans les marges des règles.

Il se développe dans les siècles suivants en relation avec les changements sociaux (laïcisation de la société, conflits, nouvelles conceptions du temps et de l'individu…), la diversification de l'écrit et l'élaboration d'une conscience littéraire (originalité, création…). Mais il reste dévalorisé, non légitimé.

De la fin du XVIIIe siècle au début du XXe siècle, en liaison avec la constitution de l'espace littéraire et le développement d'un lectorat diversifié, le roman conquiert sa légitimité et s'impose comme genre le plus lu. Il réfléchit de plus en plus à ses fonctionnements (l'activité critique) et met en place les codes qui nous servent encore de référence (le réalisme, le personnage, la description...). Il se diversifie de plus en plus selon les fractions du public (âge, sexe, catégorie socio-culturelle) et selon les luttes entre écoles et groupes.

Au XXe siècle, il semble régner sans concurrent : forme littéraire la plus pratiquée, il est reconnu par les instances culturelles. Il reste à savoir si cette situation se maintiendra, si la concurrence n'est pas à rechercher du côté de nouveaux supports et médias (bandes dessinées, cinéma, télévision...) et quelles voies seront explorées par les écoles et groupes à venir...

Les limites du modèle

Ce modèle est bien sûr trop simpliste et s'expose aux critiques que nous avions évoquées au début. Il ne tient pas compte des ruptures, des enchevêtrements et de problèmes qui compliquent toute exposition globalisante. Nous en signalerons deux pour conclure cette partie.

Le roman a toujours connu une veine satirico-parodique (Rabelais ; Scarron : *Le Roman comique* ; Furetière : *Le Roman bourgeois* ; Diderot : *Jacques le Fataliste* ; le roman picaresque...). Nous pouvons nous demander si cela n'est pas dû à l'origine et à la nature même du roman. Genre «bâtard», se développant en marge des genres, des codes et des formes établis et nobles, il ne pouvait que les détourner et les contester (comme dans *Virgile travesti* de Scarron) tout en expérimentant de nouvelles voies. Cela peut expliquer l'impression de modernité ressentie à la lecture de ces romans pourtant éloignés dans le temps. La liberté et la contestation, contreparties du peu de légitimité, ont mené les romanciers vers des terrains encore à explorer et «appelés» par les détournements parodiques : les avancées réalistes et la contestation sociale opposées à l'héroïsme et aux mécanismes de glorification, à la fermeture de l'univers fictionnel ; la subversion des *topoï*, les interventions ironiques du narrateur, les récits enchâssés... Ainsi, paradoxalement, certains procédés généralisés par les recherches contemporaines rencontrent des pratiques présentes très tôt dans l'histoire romanesque. *Ils n'ont cependant pas le même sens.* Nous rencontrons ici les limites d'une analyse interne. *Toute technique se doit d'être interprétée dans son cadre historique.* Ainsi, souvent, dans les siècles passées, les intrusions du narrateur contestaient les conventions et le refus du réalisme ; elles ouvraient la voie à une «vraisemblabilisation» de la narration. Au XXe siècle en revanche, ces «mêmes» intrusions contestent la volonté réaliste dans le roman et attirent l'attention sur la «fabrication» du texte et les mécanismes d'écriture...

D'autre part, très tôt, le *roman s'est développé au travers de deux réseaux de production*. Le premier touchait un public restreint, se souciait de légitimité et d'originalité. Il continue dans les recherches d'avant-garde ou d'écrivains peu lus mais reconnus par leurs pairs ou par la critique spécialisée. Le second visait un public large et diversifié. Il s'accroît tout au long des XVIIe et XVIIIe siècles jusqu'au milieu du XIXe siècle par le colportage lié à la «Bibliothèque bleue» dont un des hauts lieux est la ville de Troyes. On pense que cette littérature a atteint neuf millions de brochures en 1848. Après 1848, frappée d'interdictions, elle est remplacée progressivement par l'édition populaire, les feuilletons de la presse et aujourd'hui par les «paralittératures» (policier, espionnage, sentimental, érotique...) diffusées à des millions d'exemplaires.

Or, généralement, les histoires de la littérature ne rendent compte que du premier réseau, le plus noble... Dans l'autre, subsistent d'anciennes formes (pendant longtemps les romans médiévaux «transformés» ont été réédités) et des valeurs différentes. Ainsi, l'originalité est soumise à la production en *séries* et à la reconduction de *clichés* qui fidélisent un lectorat recherchant la répétition (et non l'innovation) dans les *thèmes* et les *procédés techniques*. Conséquemment, l'évolution du roman se comprend aussi dans les interactions entre ces deux réseaux. Par exemple, les paralittératures reprennent ultérieurement – lorsqu'elles sont «normalisées» par le temps – des modifications narratives. D'un autre côté, les écrivains d'avant-garde, soit parodient et critiquent l'aspect conventionnel des littératures de masse, soit les utilisent comme réservoirs de mythes (les Surréalistes avec *Fantômas*), ou d'intrigues (le Nouveau Roman avec le roman policier)...

LECTURES CONSEILLÉES

ADAM Jean-Michel, PETITJEAN André,
  Le Texte descriptif, Paris, Nathan, 1989

BOLLÈME Geneviève,
  La Bibliothèque bleue, Paris, Gallimard-Julliard, 1971, coll. Archives.

HAMON Philippe,
  Introduction à l'analyse du descriptif, Paris, Hachette, 1981.

MANDROU Robert,
  De la culture populaire aux XVIIe et XVIIIe siècles, Paris, Stock, 1964.

QUEFFELEC Lise,
  Le Roman-feuilleton français au XIXe siècle, Paris, P.U.F., 1989, coll. Que sais-je ?

RAIMOND Michel,
  La Crise du roman des lendemains du Naturalisme aux années vingt, Paris, Corti, 1985.

ZÉRAFFA Michel,
  Personne et personnage. Le romanesque des années 1920 aux années 1950, Paris, Klincksieck, 1969.

Approches méthodiques

I. Les composantes principales des récits

1. Énoncé/énonciation

Tout fait linguistique peut s'analyser selon deux aspects : celui d'un *énoncé*, produit fini et clos, ou celui d'une *énonciation*, c'est-à-dire de l'acte de communication qui l'a généré : quelqu'un a produit cet énoncé pour quelqu'un d'autre, dans un temps et un lieu donnés, avec une intention déterminée.

Selon les théories, on s'intéressera donc au récit en considérant plutôt son énonciation (histoire, sociologie, psychanalyse…) ou plutôt son énoncé ou les points communs entre tous les récits énoncés (la narratologie…).

Il faut cependant ne jamais oublier qu'une analyse excluant l'une ou l'autre de ces dimensions se heurterait à des problèmes importants. En effet, le sens d'un énoncé ne peut souvent être véritablement compris qu'en fonction de la situation d'énonciation. Ainsi, «Je mange.» sera compris différemment selon que je profère cet énoncé :

– en réponse à un ami qui me demande ce que je fais à vingt heures ;

– en réponse à mon épouse qui me signale que je ne lui parle plus depuis quinze jours ;

– dans une classe, comme exemple d'un fonctionnement linguistique, bien que je ne mange pas à ce moment-là.

D'autre part, les phénomènes ne sont pas aussi étanches que notre présentation pourrait le suggérer : tout énoncé conserve des *traces* de son énonciation, des signes qui ne peuvent s'interpréter sans la connaître. Tel est le cas du «Je» dans «Je mange.», qui réfère à celui qui a tenu le discours.

La partition énoncé/énonciation est donc nécessaire méthodologiquement mais à manier avec précaution si l'on veut rendre compte du sens d'un texte.

Elle pose de surcroît des problèmes singuliers dans le cas de l'*énoncé littéraire* qui est écrit et destiné à survivre à son énonciation : l'auteur et le lecteur peuvent être séparés de plusieurs siècles, les conditions de production et de réception peuvent varier infiniment. En outre, en fonction des multiples possibilités de création et de simulation constitutives de la littérature, il est toujours difficile de savoir ce que l'auteur voulait «dire réellement», quel effet il voulait obtenir, etc., ce qui explique les débats, souvent hypothétiques, sur le «sens» du texte ou «l'idéologie» de l'auteur.

2. Auteur/narrateur ; lecteur/narrataire ; fiction/référent

Le fait d'opérer une distinction entre énonciation et énoncé entraîne comme conséquence de ne pas confondre hors-texte et texte, extra-linguistique et linguistique, personnes réelles qui participent à la communication littéraire (l'écrivain, le public...) et personnes fictives qui semblent communiquer *dans le texte* (le narrateur, le narrataire).

L'écrivain est celui qui existe ou a existé, en chair et en os, dans notre monde. Le *narrateur* est celui qui semble raconter l'histoire à l'intérieur du livre mais n'existe qu'en mots dans le texte. Il constitue, en quelque sorte, un énonciateur interne. Cette distinction permet de comprendre qu'un même auteur puisse écrire un roman en choisissant un narrateur homme ou femme, passé, présent ou futur... Un des exemples les plus saisissants est peut-être celui de l'ouvrage de Mark Twain, *Trois mille ans chez les microbes*, narré par un microbe du choléra «avec des notes additionnelles de la même main, 7 000 ans plus tard».

De façon symétrique, il convient de ne pas confondre les *lecteurs* réels ou potentiels de notre monde et le *narrataire* : celui auquel le narrateur s'adresse, explicitement ou implicitement, dans l'univers du récit. Ainsi dans *La Chute* d'Albert Camus, émerge progressivement, au travers du monologue de Clamence, l'image de son interlocuteur : avocat parisien cultivé. Mais il n'existe et on ne le perçoit que par les signes linguistiques employés : vouvoiement, adresses, questions, indications du narrateur…

Narrateur et narrataire peuvent être explicites ou implicites, ils sont, en tout cas, consubstantiels au texte. Le *narrateur* est constitué par l'ensemble des signes qui construisent la figure de celui qui raconte dans le texte. Le *narrataire* est constitué par l'ensemble des signes qui construisent la figure de celui à qui l'on raconte dans le texte.

S'il convient donc, dans l'analyse du roman, de ne pas confondre auteur et narrateur, il est pourtant un cas où auteur, narrateur et personnage principal tendent à se conjoindre : c'est celui de l'autobiographie. Cela explique que nombre de recherches s'organisent alors autour de la question de la *vérité* (moins pertinente dans les autres romans) et du parallèle entre la vie de l'auteur telle que l'on peut la reconstituer et la vie de l'auteur telle qu'il la raconte.

Complémentairement, l'analyse narratologique distinguera entre la *fiction* (l'image du monde construite par le texte et n'existant que dans et par ses mots) et le *référent* (notre monde, le réel, l'histoire… existant hors du texte). Comme le notait Roland Barthes à propos du signe linguistique : «Le mot chien n'aboie pas». Cela permet de comprendre non seulement des «déformations» mais aussi des créations d'univers, telles qu'elles s'effectuent dans la science-fiction notamment. Selon les cas, les romanciers essaieront de faire plus ou moins vrai, de produire un *effet de réel* (réalisme, naturalisme…) ou non (merveilleux…) au travers de techniques sur lesquelles nous reviendrons (chapitre VIII).

3. Fiction/narration/mise-en-discours

Une troisième dimension est nécessaire pour ne pas mélanger des éléments hétérogènes dans l'analyse du récit : elle concerne les «niveaux» textuels. On distingue ainsi –arbitrairement mais utilement – la fiction, la narration et la mise-en-discours.

La *fiction* (ou diégèse) désigne l'univers créé, l'histoire telle qu'on peut la reconstituer, les personnages, l'espace, le temps…

La *narration* prend en charge les choix techniques (et créatifs) selon lesquels la fiction est mise en scène, racontée, par qui, selon quelle perspective, selon quel ordre, suivant quel rythme, selon quel mode, etc… Ainsi, une fiction «identique», par exemple l'histoire du *Petit Chaperon Rouge*, peut être racontée sur un mode «sérieux» (Walt Disney) ou parodique (Tex Avery), sous forme condensée ou étendue, dans l'ordre ou en commençant par la fin…

Cette distinction entre *fiction* et *narration* permet de lever l'ambiguïté entre les deux sens du mot *récit* : d'une part la narration d'un événement ou d'une série d'événements, d'autre part l'événement ou la série d'événements qui font l'objet de cette narration. On doit en grande partie cette dichotomie aux Formalistes russes qui appelaient *fable* la fiction (d'autres disent encore *histoire*) et *sujet* la narration (d'autres disent encore *récit*).

La mise-en-discours réalise concrètement la fiction et la narration dans des mots, des phrases, des figures de style… Elle tend à se confondre avec le texte tel qu'on le lit. Si fiction et narration la déterminent, elle possède cependant son autonomie : la même histoire, avec les mêmes choix narratifs peut être racontée avec des mots et une syntaxe différente. Chacun de nous a pu entendre la même «histoire drôle» avec des variantes propres au conteur.

Il est certain que dans la réalité les «niveaux» s'interpénètrent puisqu'ils ne peuvent exister séparément. Il est pourtant utile de les distinguer car, comme nous le verrons, ils posent chacun des problèmes spécifiques. Convenons ici de considérer que les notions de fiction et de narration se situent à un niveau plus abstrait et concernent prioritairement le narratologue. Mais elles ne sont accessibles qu'au travers de la mise-en-discours qui les actualise. Celle-ci intéresse plus spécifiquement linguistes et styliciens.

La distinction classique fond/forme est donc remplacée par une tripartition fiction/narration/mise-en-discours qui permet plus de précision dans l'analyse.

D'un autre point de vue, on peut considérer l'art des romanciers selon le niveau qu'ils privilégient. Certains sont surtout de grands producteurs de fiction : l'intérêt de la lecture se portera sur l'originalité du monde créé, de l'événement raconté ou sur la multiplicité des aventures (par exemple, ceux qui ont écrit romans-feuilletons, romans d'aventures : A. Dumas, P. Féval, E. Sue…). D'autres s'intéressent prioritairement à la narration ; dans ce cas l'intrigue peut être ténue, l'intérêt réside dans le mode de mise en scène (par exemple, *Le Pigeon* de P. Süskind). D'autres enfin effectuent un travail considérable sur la mise-en-discours, la langue (par exemple,

Guyotat). Il est clair que ces dimensions ne sont pas exclusives et qu'un «grand roman» articule sans doute ces différents niveaux de façon originale : on pensera ici, dans des genres tout-à-fait différents, à M. Proust et L.F. Céline.

4. Illustration

Pour mettre en œuvre les notions proposées dans ce chapitre, nous avons choisi une chanson bien connue de Renaud :

«*Les aventures de Gérard Lambert*».

1	*Quatorze avril 77*
2	*dans la banlieue où qu'y fait nuit*
3	*la petite route est déserte,*
4	*Gérard Lambert rentre chez lui.*
5	*Dans le lointain les mobylettes*
6	*poussent des cris...*
7	*Ça y est, j'ai planté le décor,*
8	*créé le climat de ma chanson,*
9	*ça sent la peur, ça pue la mort,*
10	*j'aime bien c't'ambiance, pas vous ? ah bon...*
11	*Voici l'histoire proprement dite,*
12	*voici l'intrigue de ma chanson,*
13	*Gérard Lambert roule très vite,*
14	*Le vent s'engouffre dans son blouson.*
15	*Dans le lointain les bourgeois dorment*
16	*comme des cons...*
17	*Lorsque soudain survient le drame,*
18	*juste à la sortie d'un virage,*
19	*y'a plus d'essence dans la bécane,*
20	*Gérard Lambert est fou de rage !*
21	*T'aurais pas dû, Gérard Lambert,*
22	*aller ce soir-là à Rungis,*
23	*t'aurais dû rester chez ta mère,*
24	*comme un bon fils.*
25	*Il met sa mob sur la béquille,*
26	*s'assied par terre et réfléchit :*
27	*dans cette banlieue de bidonvilles*
28	*y'a pas une pompe ouverte la nuit !*
29	*Dans le lointain y'a une sirène*
30	*qui s'évanouit...*
31	*Qu'est c'que j'vais faire bordel de Dieu ?*
32	*j'vais quand même pas rentrer à pied !*

33   *Plus y s'angoisse moins ça va mieux,*
34   *Quand soudain lui vient une idée :*
35   *j'vais siphonner un litre ou deux*
36   *dans l'réservoir de cette bagnole,*
37   *et pi après j'y crève les pneus,*
38   *comme ça, gratuitement, par plaisir,*
39   *faut bien qu'j'me défoule un p'tit peu*
40   *j'suis énervé...*
41   *Une fois son forfait accompli,*
42   *Gérard Lambert va repartir,*
43   *la mobylette veut rien savoir,*
44   *c'est le bon Dieu qui l'a puni !*
45   *T'aurais pas dû, Gérard Lambert,*
46   *aller ce soir-là à Rungis,*
47   *t'aurais dû rester chez ta mère,*
48   *comme un bon fils.*
49   *Alors, pendant une demi-heure,*
50   *dans son moteur il tripatouille,*
51   *il est crevé, il est sueur,*
52   *il a du cambouis jusqu'aux coudes.*
53   *Dans le lointain le jour se lève*
54   *comme d'habitude...*
55   *A c'moment-là un mec arrive,*
56   *un p'tit loubard aux cheveux blonds,*
57   *et qui lui dit comme dans les livres :*
58   *s'te plaît dessine-moi un mouton*
59   *une femme à poil ou un calibre,*
60   *un cran d'arrêt, une mobylette,*
61   *tout c'que tu veux, mon pote, t'es libre,*
62   *mais dessine-moi qu'qu'chose de chouette !*
63   *Dans le lointain y's'passe plus rien*
64   *du moins y m'semble...*
65   *Alors, d'un coup d'clé à molette,*
66   *bien placé entre les deux yeux,*
67   *Gérard Lambert éclate la tête*
68   *du Petit Prince de mes deux !*
69   *Faut pas gonfler Gérard Lambert*
70   *Quand y répare sa mobylette,*
71   *c'est la morale de ma chanson,*
72   *moi j'la trouve chouette,*
73   *pas vous ? ah bon...*

Le titre indique les composantes principales de la *fiction* en désignant des actions et le personnage principal. L'intrigue peut se résumer assez simplement : Gérard Lambert rentre chez lui en mobylette, il tombe en panne et ne peut repartir malgré un vol d'essence puis il tue un «p'tit loubard» qui lui demandait un dessin.

L'univers spatio-temporel est clairement planté : la nuit du 14 avril 1977 sur une route de la banlieue parisienne.

Cette fiction est organisée *narrativement* par une série de choix. L'*ordre* chronologique est respecté, ainsi que la causalité, même si l'épisode du loubard blond peut surprendre. L'histoire est racontée par un narrateur qui n'est pas l'un des personnages. On suit principalement Gérard Lambert au point de percevoir un court moment son monologue sous forme de discours (vers 31-32 ; 35-40). Le narrateur intervient à plusieurs reprises pour commenter les articulations de son récit (vers 7-8-9 ; 11-12 ; 17 ; 71...), pour communiquer avec le narrataire (vers 10, 72-73), pour «rentrer» dans l'histoire (vers 63-64) et s'adresser au personnage (vers 21 à 24 ; 45 à 48...), pour fournir des causes (vers 44...) ou évaluer le monde (vers 16...).

Cette fiction se concrétise dans une *mise-en-discours* dont nous ne relèverons ici que trois spécificités : les rimes liées à la chanson, la simulation d'un oral «familier» et le jeu des «fausses rimes» (vers 50-52).

On notera aussi que l'humour et le second degré imprègnent tout le texte et motivent les choix à tous les niveaux : le côté prosaïque de l'univers et des actions opposé au titre «épique», le décalage entre le chanteur et son public d'un côté et les images textuelles du narrateur et du narrataire de l'autre, la morale ne s'appliquant qu'à Gérard Lambert opposée à la morale généralisante des fables, l'intertextualité avec la référence parodique au *Petit Prince* de Saint-Exupéry...

Enfin, il faut souligner que nous nous en sommes tenu à une approche de l'*énoncé*. L'analyse de l'*énonciation* aurait dû tenir compte d'autres paramètres en œuvre en concert ou sur le disque (mise en scène, intonation, musique...).

APPLICATIONS PRATIQUES

1. *Les textes 1 à 4 sont tirés de l'ouvrage de R. Queneau,* Exercices de style *(Gallimard, 1947) qui réalise de nombreuses variations sur une «base» commune. Vous essaierez d'analyser, en justifiant vos réponses, si les variations des textes 2-3-4, par rapport au texte n° 1, portent prioritairement sur la fiction, la narration ou la mise-en-discours.*

Vous effectuerez la même opération sur les textes 5 et 6, extraits de l'ouvrage de G. Lascault, Le petit chaperon rouge, partout *(Seghers, 1989), référés au conte bien connu.*

1 – RÉCIT

Un jour vers midi du côté du parc Monceau, sur la plate-forme arrière d'un autobus à peu près complet de la ligne S (aujourd'hui 84), j'aperçus un personnage au cou fort long qui portait un feutre mou entouré d'un galon tressé au lieu de ruban. Cet individu interpella tout à coup son voisin en prétendant que celui-ci faisait exprès de lui marcher sur les pieds chaque fois qu'il montait ou descendait des voyageurs.

Il abandonna d'ailleurs rapidement la discussion pour se jeter sur une place devenue libre.

Deux heures plus tard, je le revis devant la gare Saint-Lazare en grande conversation avec un ami qui lui conseillait de diminuer l'échancrure de son pardessus en en faisant remonter le bouton supérieur par quelque tailleur compétent.

2 – LIPOGRAMME

Voici.

Au stop, l'autobus stoppa. Y monta un zazou au cou trop long, qui avait sur son caillou un galurin au ruban mou. Il s'attaqua aux panards d'un quidam dont arpions, cors, durillons sont avachis du coup ; puis il bondit sur un banc et s'assoit sur un strapontin où nul n'y figurait.

Plus tard, vis-à-vis la station saint-Machin ou saint-Truc, un copain lui disait : «Tu as à ton raglan un bouton qu'on a mis trop haut.»

Voilà.

3 – MÉTAPHORIQUEMENT

Au centre du jour, jeté dans le tas des sardines voyageuses d'un coléoptère à l'abdomen blanchâtre, un poulet au grand cou déplumé harangua soudain l'une, paisible, d'entre elles et son langage se déploya dans les airs, humide d'une protestation. Puis, attiré par un vide, l'oisillon s'y précipita.

Dans un morne désert urbain, je le revis le jour même se faisant moucher l'arrogance pour un quelconque bouton.

4 – LE CÔTÉ SUBJECTIF

Je n'étais pas mécontent de ma vêture, ce jourd'hui. J'inaugurais un nouveau chapeau, assez coquin, et un pardessus dont je pensais grand bien. Rencontré X devant la gare Saint-Lazare qui tente de gâcher mon plaisir en essayant de me démontrer ce que pardessus est trop échancré et que j'y devrais rajouter un bouton supplémentaire. Il n'a tout de même pas osé s'attaquer à mon couvre-chef. Un peu auparavant, rembarré de belle façon une sorte de goujat qui faisait exprès de me brutaliser chaque fois qu'il passait du monde, à la descente ou à la montée. Cela se passait dans un de ces immondes autobi qui s'emplissent de populus précisément aux heures où je dois consentir à les utiliser.

5 –

Au XIVᵉ siècle, dans une forêt clairsemée du sud de l'Italie, le Petit Chaperon Rouge est une cul-de-jatte borgne. Elle fait avancer sa petite voiture avec deux fers à repasser, qui fatiguent ses bras maigres. Elle porte à sa grand-mère lépreuse des galettes moisies et du beurre rance. Le loup boite. Il est édenté. Il bave tristement sur le cou décharné du Petit Chaperon Rouge, qu'il n'a plus la force de mordre.

6 –

Dans une autre histoire, au moment où le Petit Chaperon Rouge est couchée, nue, au plus près du loup, au moment où leur conversation concerne les dents de la bête, le Chaperon se lève brusquement. Sans prendre le temps d'enfiler slip, jupon, jupe et corsage cramoisis, elle sort de la cabane de la grand-mère, court dans la forêt. Vite. Très vite. Dans une clairière, elle voit les trois maisons des Trois Petits Cochons. Elle entre dans la plus solide.

2. *Choisissez une histoire connue et brève, puis racontez-la de différentes façons en vous donnant des consignes qui portent soit sur la narration (ordre, récit/discours, point de vue…), soit sur la mise en discours (lexique, syntaxe…).*

LECTURES CONSEILLÉES

ADAM Jean-Michel,
   Le Récit, Paris, P.U.F. 1984, coll. «Que sais-je ?».

BARTHES Roland,
   «Introduction à l'analyse structurale des récits», *Communications n° 8*, 1966 (article repris dans R. Barthes et alii, *Poétique du récit*, Paris, Seuil, 1977, coll. «Points»).

LEJEUNE Philippe,
   Le Pacte autobiographique, Paris, Seuil, 1975.

TODOROV Tzvetan,
   «Les catégories du récit littéraire», *Communications n° 8*, 1966.

TODOROV Tzvetan,
   Théorie de la littérature. Textes des Formalistes russes, Paris, Seuil, 1965.

II. La fiction

La fiction est constituée des actions, effectuées par les personnages, dans un univers spatio-temporel déterminé. Elle est (re-) construite par le lecteur à l'issue de sa lecture. Il faut donc connaître l'intégralité du texte pour analyser précisément chacune de ses composantes.

1. L'intrigue et les actions

La définition de l'*intrigue*, comme charpente nécessaire à toute fiction, et des *actions*, comme unités s'y intégrant selon un mode précis, a fait l'objet de recherches importantes qui sont passées par différentes étapes.

Les fonctions

Tout récit est composé d'une multitude d'actions. A partir de ce constat, Vladimir Propp, dans *Morphologie du conte*, a émis l'hypothèse qu'au-delà de leurs différences, elles pouvaient sans doute se réduire à un ensemble fini, *commun à toutes les histoires*. En travaillant sur un corpus de contes merveilleux russes, il est parvenu à isoler trente et une *fonctions* qui constitueraient ce socle commun.

LES FONCTIONS SELON PROPP

0 – Situation initiale : ouverture, présentation des personnages.
1 – Éloignement : un des membres de la famille part ou meurt.

2 – Interdiction : le héros se voit intimer un ordre ou une interdiction.

3 – Transgression : l'interdiction est transgressée.

4 – Interrogation : l'agresseur essaie d'obtenir des renseignements.

5 – Information : l'agresseur reçoit des informations sur sa victime.

6 – Tromperie : l'agresseur tente de tromper sa victime pour s'emparer d'elle ou de ses biens.

7 – Complicité : la victime se laisse duper et aide son ennemi malgré elle.

8 – Méfait : l'agresseur nuit à l'un des membres de la famille. Ces fonctions vont introduire le noyau central du conte. Elles peuvent néanmoins prendre à côté du *méfait* la forme d'un *manque* ou d'un *désir* qui engage la suite de l'histoire.

9 – Médiation ou Transition : le méfait ou le manque est connu, le héros part ou est envoyé pour y remédier.

10 – Début de l'action contraire : le héros accepte ou décide d'agir.

11 – Départ : le héros quitte sa maison.

12 – Première fonction du donateur : le héros subit épreuve, questionnaire ou attaque qui le préparent à la réception d'un objet ou d'un auxiliaire magique.

13 – Réaction du héros : le héros réagit aux actions du futur donateur.

14 – Réception de l'objet magique : le héros reçoit l'objet magique.

15 – Déplacement : le héros est transporté ou conduit près du lieu où se trouve l'objet de sa quête.

16 – Combat : le héros et son agresseur s'affrontent.

17 – Marque : le héros reçoit une marque (blessure, baiser ou objet…).

18 – Victoire : l'agresseur est vaincu.

19 – Réparation : le méfait initial est réparé ou le manque est comblé.

20 – Retour : le héros revient.

21 – Poursuite : le héros est poursuivi et/ou agressé.

22 – Secours : le héros est secouru ou arrive à s'enfuir.

23 – Arrivée incognito : le héros arrive incognito chez lui ou dans un autre lieu.

24 – Prétentions mensongères : un faux héros fait valoir des prétentions mensongères.

25 – Tâche difficile : on propose au héros une tâche difficile.

26 – Tâche accomplie : il réussit.

27 – Reconnaissance : le héros est reconnu comme tel, souvent grâce à sa marque (cf. fonction 17).

28 – Découverte : le faux héros ou l'agresseur est démasqué.

29 – Transfiguration : le héros reçoit une nouvelle apparence : il change physiquement.
30 – Punition : le faux héros ou l'agresseur est puni.
31 – Mariage : le héros se marie et monte sur le trône.

Ce répertoire d'actions demeure intéressant à utiliser notamment pour les contes. Il a néanmoins fait l'objet de nombreuses critiques en raison de la difficulté de son transfert à d'autres récits et de son caractère «inachevé» : on peut regrouper des fonctions en sous-ensembles afin de mieux rendre compte de l'organisation des histoires.

Le schéma quinaire

Certains chercheurs – dont Greimas et Larivaille – ont donc tenté de rendre compte de toute intrigue en un modèle plus abstrait et plus simple.

Selon l'état actuel de ces travaux, tout récit serait fondé sur la *super-structure* suivante, que l'on appelle aussi *schéma canonique du récit* ou *schéma quinaire*, en raison de ses cinq grandes «étapes» :

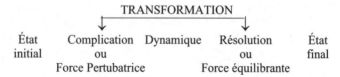

Le récit se définirait ainsi comme *transformation* d'un état en un autre état. Cette transformation est constituée d'un élément qui enclenche le procès de transformation, de la dynamique qui l'effectue (ou non) et d'un autre élément qui clôt le procès de transformation.

Ce modèle est, en fait, très simple à comprendre. Un état peut durer éternellement. Pour qu'il y ait *histoire* (c'est-à-dire un «faire», des actions…), il faut que quelque chose ou quelqu'un perturbe cet état en entraînant une série d'événements. Dans le film de Kurosawa, *Les sept samouraïs*, un village est opprimé depuis longtemps par des brigands ; cet état pourrait demeurer inchangé si les villageois ne décidaient de mandater des samouraïs pour les délivrer. Cette décision va entraîner tous les affrontements (la dynamique). Mais, après tout, un processus d'actions peut, à son tour, ne pas s'arrêter (par exemple, si les forces s'équilibrent). Un nouvel élément (la résolution) va donc intervenir pour clore la transformation : la défaite définitive des brigands. A partir de là, un nouvel état s'instaure qui pourra, lui aussi, perdurer jusqu'à la complication suivante…

Il faut cependant manier ce modèle avec précautions. En général, les romans combinent plusieurs récits minimaux, plusieurs *séquences*, chacune s'organisant sur cette base. Le reconstruire pour la totalité du roman entraîne le risque de se situer à un niveau d'abstraction tel que la singularité du roman sera oblitérée. D'autre part, en raison des choix régissant la narration et la mise-en-discours, ce schéma peut n'être actualisé qu'en partie ou dans le désordre. Si tout récit obéit à ce schéma, l'important n'est pas de le retrouver mais d'analyser comment il «s'incarne» de manière originale dans tel ou tel roman.

On trouve, en tout cas, des éléments qui confirment l'existence d'une telle structure (permettant d'engendrer à l'infini et de comprendre les histoires les plus diverses) dans la gêne que sa perturbation entraînerait. Ainsi certains lecteurs ou spectateurs sont «perdus» lorsque l'ordre de la fiction n'est pas respecté ou lorsque les étapes finales manquent (ce que l'on appelle, prosaïquement, une fin «en queue de poisson»).

Ce modèle permet aussi de construire des hypothèses interprétatives en comparant l'état initial et l'état final qui présentent souvent des éléments identiques mais sous forme inversée (dans le roman sentimental, au début, les héros sont solitaires et malheureux ; à la fin, ils sont réunis et heureux…). Leur mise en relation met en lumière ce qui s'est transformé, ce qui était l'enjeu de l'histoire…

Les séquences

Il faut cependant ne pas perdre de vue qu'il s'agit de grandes *étapes* pouvant, à leur tour, être découpées en *séquences*. On peut concevoir la séquence selon différents modèles.

Certains considèrent qu'il y a séquence dès qu'une unité textuelle manifeste le schéma quinaire même de façon minimale comme c'est le cas dans le passage suivant :

> «Il fixa le cottage en contrebas. Rien n'altérait le tableau immobile. En une occasion, après dix ou quinze minutes, il y eut un frôlement dans les taillis derrière lui ; alarmé il sortit le couteau du sac, se retourna, appuyé sur le flanc. Un petit écureuil gris jaillit à toute vitesse, le long d'une souche pourrie, escalada vivement le

tronc d'une épinette et disparut dans les branches. Le silence retomba. Il se laissa aller à se détendre, se remit sur le ventre et reprit sa surveillance.

(B. Pronzini, *Tout ça n'est qu'un jeu*, Gallimard, Série Noire.)

D'autres pensent qu'il y a séquence dès que l'on a une unité de temps, de lieu, de personnages ou d'action et qu'il convient de sélectionner le critère le plus opératoire en fonction du texte considéré (les appliquer tous les quatre risquerait de trop morceler le texte).

D'autres encore, tel Claude Brémond, formalisent la dynamique de toute séquence-action de la façon suivante :

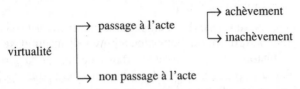

Il devient alors intéressant de voir si ce modèle est actualisé dans sa totalité ou fait l'objet d'ellipses qui peuvent correspondre soit à des choix narratifs de l'auteur, soit aux normes en vigueur à l'époque (par exemple, en matière de sexualité).

Quels que soient les choix que chacun effectue dans les modèles proposés, il est indispensable de se souvenir que tout récit recèle en général une multitude d'actions. Pour produire un effet de cohérence, il faut qu'elles soient organisées en une *intrigue* selon des principes de logique (A est la cause ou la conséquence de B), de temporalité (A précède ou suit B), de hiérarchie (A est plus ou moins important que B).

L'importance des actions peut aussi s'évaluer selon leur conservation ou non dans un résumé. Roland Barthes proposait ainsi de distinguer les *fonctions cardinales* (ou *noyaux*), essentielles pour le récit, et les *catalyses* qui «remplissent» de façon secondaire l'espace entre les premières qui ouvrent et concluent les grandes incertitudes de l'histoire.

Illustration

L'exemple suivant, tiré d'un fait divers, va nous permettre de reprendre toutes les notions que nous venons d'aborder.

ENLEVÉE À MONTARGIS

Julie (huit ans) retrouvée à Pouilly

Il était 3h 30, dans la nuit de samedi à dimanche, lorsqu'un couple circulant en automobile trouvait, errant avenue de la Tuilerie, à Pouilly, une petite fille de huit ans, Julie Moreau. Tout avait commencé dans la soirée de samedi, à Montargis, à proximité d'une fête foraine où Julie, en compagnie de deux amies de son âge, était abordée par un homme d'une cinquantaine d'années. Celui-ci, après avoir renvoyé ses deux camarades, et sous prétexte de mieux voir le feu d'artifice, l'attirait dans sa voiture, l'obligeait à prendre un comprimé dont on saura plus tard qu'il s'agissait d'un somnifère, et prenait la R.N. 7 en direction du sud. C'est quelques heures plus tard qu'on la retrouvera hagarde dans les rues de Pouilly. Examinée par un médecin, l'enfant ne porte trace d'aucune sorte de violences et, du coup, les motivations du kidnappeur deviennent plus floues.

Ce n'est que plus tard dans la soirée que la mère, Françoise Croll, domiciliée à Montargis, alertait la police qui déclenchait des recherches qui aboutissaient à l'identification de l'enfant trouvée à Pouilly.

Libération, 15 juin 1987.

Le schéma quinaire est le suivant :

État initial	Tout est normal : le samedi soir, Julie Moreau se trouve près d'une fête foraine avec deux amies.
Complication	Elle est abordée et enlevée par un homme (cet élément fondateur de l'action est mis en relief par le sur-titre).
Dynamique	Elle est presque absente dans cet article dans la mesure où l'on ne sait pas exactement ce qui s'est passé (s'il s'agit d'un «satyre», il n'y a eu que *virtualité* ; s'il s'agit d'un autre type d'individu, on en ignore la nature).
Résolution	Julie est retrouvée à Pouilly (cet élément, concluant la dynamique et l'incertitude, est souligné par le titre).
État final	Retour à la normale espéré. Julie a retrouvé ou va retrouver ses parents.

La loi de la brièveté impose de ne conserver pratiquement que les *fonctions cardinales* (les recherches de la police ne sont pas dé-

taillées, ni tous les actes qui constituent l'enlèvement, la reconnaissance, l'examen médical, etc…).

La chronologie est perturbée (le dernier paragraphe aurait dû être
situé avant) en raison du centrage sur Julie et le «sensationnel».

2. Les personnages

Les personnages ont un rôle essentiel dans l'organisation des
histoires. Ils déterminent les actions, les subissent, les relient et leur
donnent sens. D'une certaine façon, *toute histoire est histoire des
personnages*. C'est pourquoi leur analyse est fondamentale et a
mobilisé nombre de chercheurs.

Nous nous en tiendrons ici à l'analyse de leurs fonctions narratives,
de leurs *rôles*. D'autres dimensions des personnages seront étudiées
dans les chapitres suivants.

Le schéma actantiel

A.J. Greimas a proposé un modèle – le schéma actantiel – qui est
l'un des plus connus. Son hypothèse de départ est similaire à celle
qui a permis de proposer un schéma des actions : si toutes les
histoires – au-delà de leurs différences de surface – possèdent une
structure commune, c'est peut-être parce que tous les personnages
peuvent être regroupés dans des catégories communes de *forces
agissantes* (les *actants*), nécessaires à toute intrigue. Il isole donc six
classes d'*actants* participant à tout récit défini comme une *quête*. Le
Sujet cherche l'*Objet* ; l'axe du désir, du vouloir, réunit ces deux
rôles. L'*Adjuvant* et l'*Opposant* sur l'axe du pouvoir, aident le Sujet
ou s'opposent à la réalisation de son désir. Le *Destinateur* et le
Destinataire, sur l'axe du savoir ou de la communication, font agir
le sujet en le chargeant de la quête et en sanctionnant son résultat :
ils désignent et reconnaissent les Objets et les Sujets de valeur.

Il convient de ne pas confondre ce *modèle* très *abstrait* avec sa
réalisation dans les textes où chaque rôle est tenu par un ou plusieurs
acteurs («personnages» humains, animaux, idées, etc…). Il faut
aussi concevoir qu'un même *acteur* peut tenir plusieurs rôles
conjointement (par exemple : destinateur, destinataire, sujet, quand
le héros décide de lui-même de quérir tel objet pour lui) ou

alternativement (le traître…) ou encore *paraître* dans un autre rôle que le sien (l'espion, le faux-ami…).

Pour reprendre l'exemple des *Sept samouraïs*, les rôles se répartissent ainsi, *très globalement* :

ACTANTS	ACTEURS
Destinateur	Les villageois
Sujet	Les sept samouraïs
Objet	La paix, la tranquillité
Destinataire	Le village
Adjuvant	Certains villageois, le courage, l'habileté des samouraïs
Opposant	Les brigands, certains villageois, leur peur, leur lâcheté…

Par ailleurs, Greimas propose de se servir de la notion intermédiaire (entre *actant* et *acteur*) de *rôle thématique* qui désigne la catégorie socio-culturelle dans laquelle se situe l'acteur. Cela permet de prévoir la suite du texte ou de comprendre des effets de surprise ou d'indécision : on s'attend à des actions différentes de la part d'un acteur-Sujet s'il est curé, policier, routier, jeune, vieux… ; on ne saisit pas bien le fait-divers «Julie» parce qu'on s'attendait au rôle thématique du satyre… Cette notion favorise aussi le repérage des types de rôles reliés à chaque genre : dans le rôle du Sujet, on trouvera un chevalier dans la chanson de geste, une jeune femme dans le roman sentimental, un cadet dans le conte ; dans le rôle d'Opposant, on aura des truands et des politiciens véreux dans le roman policier, des ogres et des sorcières dans le conte, etc…

Il va cependant de soi que ce schéma – que nous avons simplifié – doit être utilisé souplement et minutieusement (sur chacune des séquences). Il n'apparaît de façon claire que dans des récits simples, notamment dans les romans d'aventures ou les séries dans lesquels prédominent la quête et le conflit, l'affrontement entre un Sujet et un Anti-Sujet (*Fantômas*). Il classe les personnages sur la base de leur fonctionnalité, de leur *faire*.

Les rôles principaux

Toujours sur la base du rapport à l'action, Claude Brémond construit un mode d'analyse concurrent. Il propose d'étudier le rôle de chacun des personnages en partant de trois positions fondamentales : le *patient* qui est affecté par le processus, l'*agent* qui initie le processus, l'*influenceur* qui est intervenu antérieurement pour former l'état d'esprit, l'attente, l'espoir ou les craintes de l'agent ou du patient. C'est le cas par exemple de Circé, au début du chant XII de l'*Odyssée*, qui prépare et avertit Ulysse : «Il vous faudra d'abord passer près des sirènes. Elles charment tous les mortels qui les approchent. Mais bien fou qui relâche pour entendre leurs chants !». Il spécifie encore le rôle de l'agent selon la nature, les fonctions et les effets du processus engagé : de conservation ou de modification d'un état, à effet bénéfique ou non, volontaire ou non, éventuel ou en acte, ayant réussi ou échoué… Cette grille est utile pour des récits très courts. Elle peut aussi être utilisée, pour des histoires plus longues, afin d'étudier les rôles et leurs modalités les plus souvent assumés par tel ou tel personnage. Cela permet d'argumenter ou de fonder des notations psychologisantes telles que «actif» ou «passif», velléitaire, etc… Cela permet aussi de suivre le texte de «plus près» sans passer par le détour d'un modèle très abstrait.

Distinction et hiérarchisation des personnages

Si l'on veut affiner l'analyse des personnages dans un récit, il faut tenir compte de leurs différentes composantes (leur *«faire»* et leur *«être»*) et utiliser des critères permettant de montrer en quoi les personnages se distinguent et se hiérarchisent. C'est ce que Philippe Hamon propose aux travers de six paramètres.

– La *qualification différentielle* porte sur la quantité de qualifications (énoncés d'être) attribuées à chaque personnage et sur les formes de leur manifestation : ils sont plus ou moins anthropomorphes ; ils ont des marques (blessure…) ou non ; ils sont plus ou moins nommés, décrits (positivement ou négativement) physiquement, psychologiquement, socialement ; on connaît ou non leur généalogie et leurs relations amoureuses…

– La *distribution différentielle* concerne les aspects quantitatifs : les personnages apparaissent plus ou moins souvent, plus ou moins longtemps et à des moments stratégiques ou non…

– L'*autonomie différentielle* prend en compte les modes de combinaison des personnages : si le personnage est important il pourra apparaître seul ou avec d'autres et rencontrer la plupart des autres protagonistes (ce critère est souvent lié aux déplacements plus ou moins fréquents et à la multiplicité des relations que le héros entretient)...

– La *fonctionnalité différentielle* réfère aux rôles dans l'action, au faire plus ou moins important, plus ou moins réussi...

– La *pré-désignation conventionnelle* indique que l'importance et le statut peuvent être définis *a priori* par le genre : le cadet dans le conte, le Privé dans le roman policier...

– Le *commentaire explicite* existe dans de nombreux romans : il est constitué par les évaluations internes, la mise en perspective, qui indiquent le statut du personnage dans le corps même du texte : «notre héros»...

Il est intéressant de noter que les romanciers contemporains (notamment Beckett), critiquant les notions de personnage et de héros, ont eu tendance à réduire et à brouiller toutes ces marques...

Remarques complémentaires

Il convient encore de situer le personnage par rapport à la *narration* et à la *perspective* ce que nous verrons en détail dans le chapitre suivant. Signalons simplement pour mémoire que le personnage peut être situé dans la fiction de façon simple (on le «voit» être ou agir) ou comme médiateur de savoirs sur l'univers et les autres personnages : on a l'impression de «voir» le monde et les autres par ses yeux et ses pensées. Il peut aussi raconter l'histoire des autres, ou son histoire. On a ainsi des personnages «simples», des personnages «focalisateurs» (on perçoit par eux) et des personnages narrateurs (qui nous narrent l'histoire), ce qui manifeste leur degré d'importance.

Nous n'avons cependant pas épuisé l'analyse du personnage qui ne doit pas oublier d'autres dimensions importantes.

Ainsi, son *fonctionnement* se différencie selon le genre (les personnages des contes ne possèdent pas de psychologie...), selon l'époque (aux siècles précédents, la place de héros dans un récit «relevé» était réservé à des hommes de haute naissance ; la psychologie et le physique renvoyaient non à un individu mais à une représentation conventionnelle de sa catégorie), selon l'idéologie de l'auteur (quels types de personnages sont présents ? Lesquels ne figurent pas ? Comment sont-ils décrits ? En référence à quels discours sociaux de l'époque ?…).

De surcroît le personnage est un *support de l'investissement* des lecteurs. Cet investissement peut être d'ordre socio-culturel (car les personnages sont «marqués» et reçoivent des valeurs positives ou négatives dans le texte) ou d'ordre affectif (le lecteur les «aime» plus ou moins). Il faut ici se reporter à des études historiques, sociologiques, socio-critiques ou psychanalytiques.

Il ne faut pas non plus oublier que le personnage se constitue très concrètement dans la mise-en-discours (voir chapitre 5) par des unités linguistiques (noms, pronoms, groupes nominaux, périphrases…) qu'il s'agit d'étudier en détail afin de ne pas se laisser aller simplement à ses impressions.

3. L'espace

L'espace mis en scène par le roman peut s'appréhender selon deux grandes entrées : ses relations avec l'espace «réel» et ses fonctions à l'intérieur du texte.

Espace et «réel»

Les lieux du roman peuvent «ancrer» le récit dans le réel, donner l'impression qu'ils le «reflètent». Dans ce cas, on s'attachera aux descriptions, à leur précision, aux éléments «typiques», aux noms et aux informations qui renvoient à un savoir culturel repérable en-dehors du roman, aux procédés mis en œuvre pour produire cet *effet réaliste* (voir notamment les chapitres 6 et 8). A l'inverse certains récits utilisent l'espace à d'autres fins : par l'absence de description ou la réduction à des lieux symboliques, ils construisent une dimension universelle, parabolique (les contes, les fables…) ou même critique lorsque le pouvoir politique interdit une mise en cause directe. De façon différente encore, un genre comme la science-fiction crée des univers imaginaires mais avec des procédés et une précision tels qu'ils donnent aussi une impression réaliste ; quant à l'épouvante, ou à l'étrange, ils «fonctionnent» sur une base réaliste, en postulant une communication entre «notre» monde et d'autres. L'effet de réel est plus lié à la présentation textuelle de l'espace qu'à sa réalité.

Les fonctions de l'espace

Les fonctions des lieux sont multiples. Nous devons d'abord *repérer* s'ils sont divers et nombreux (romans d'aventures, picaresques, journaux de voyage…) ou réduits (à un lieu, comme dans le cas extrême de *Voyage autour de ma chambre* de Xavier de Maistre), s'ils sont plus ou moins exotiques, séparés ou en continuité, urbains ou ruraux, passés ou présents… Du voyage au «voyage intérieur» du roman psychologique, on voit ainsi se dégager des genres, des thématiques (romans de mer, de montagne…), des univers de référence, des lieux chics chers à F. Sagan à la «zone» de Calaferte (*Requiem pour des innocents*) ou au monde ouvrier.

Ces lieux s'*organisent, font système et produisent du sens*. Ainsi, dans les contes, les lieux sécurisants (la maison) s'opposent aux lieux angoissants. Ils délimitent souvent les camps des personnages : lieux réservés aux uns et aux autres, lieux communs et lieux de passage. Les extraits suivants de *La Condition humaine* marquent bien, de ce point de vue, l'opposition entre l'industriel Ferral et le révolutionnaire Kyo dans la ville de Shangaï :

> « "Un bon quartier", pensa Kyo. Depuis plus d'un mois que, de comité en comité, il préparait l'insurrection, il avait cessé de voir les rues : il ne marchait plus dans la boue, mais sur un plan. […] Les concessions, les quartiers riches, […] n'existaient plus que comme des menaces, des barrières, de longs murs de prison sans fenêtres ; ces quartiers atroces, au contraire – ceux où les troupes de choc étaient les plus nombreuses –, palpitaient du frémissement d'une multitude à l'affût.»

> (Première partie, une heure du matin).

> «L'auto dut s'arrêter devant les barbelés. En face, la ville chinoise, très noire, fort peu sûre. Tant mieux. Ferral abandonna l'auto, fit passer son révolver dans la poche de son veston, espérant quelque attaque : on tue ce qu'on peut.»

> (Quatrième partie, six heures du matin).

Les lieux signifient aussi des étapes de la vie, l'ascension ou la dégradation sociale (les «habitats» de Gervaise dans l'*Assommoir*), des racines ou des souvenirs (*La Recherche du temps perdu*).

Ils peuvent caractériser par métonymie (la maison renvoie au personnage chez Balzac) ou symboliser tel statut ou tel désir.

Ils permettent ou font obstacle à des actions, des dialogues ou des descriptions (voir le chapitre 6).

4. Le temps

Temps et «réel»

De façon similaire, les indications temporelles peuvent «ancrer» le texte dans le réel lorsqu'elles sont précises et correspondent à nos divisions, à notre calendrier ou à des événements historiques attestés. Certains romans privilégient le passé (le roman historique) soit pour l'intérêt du public (le goût de l'aventure chez W. Scott ou A. Dumas) soit pour dire quelque chose, de façon détournée, sur le présent ; d'autres sont centrés sur l'actualité ou une période récente, d'autres choisissent l'uchronie (contes, merveilleux...), d'autres encore le futur (la science-fiction...) ou le brouillage de nos catégories (H.G. Wells : *La Machine à explorer le temps*).

Les fonctions du temps

Après ce premier *relevé* des procédés et de l'époque de référence, il est aussi intéressant d'étudier comment le temps *produit des effets de sens*. Le temps est-il long ou bref, limité et pourquoi (*Le tour du monde en quatre-vingts jours*), structuré par des oppositions (passé/présent, vieux/jeunes...), organisé autour d'un événement, à valeur sociale ou privée, empli d'événements ou dilaté par l'attente (J. Gracq, *Le Rivage des Syrtes* ou D. Buzzati, *Le Désert des Tartares*) ? Est-il collectif (l'histoire d'un peuple ou d'un ensemble : *Les Raisins de la colère*), centré sur une famille (le cycle de *Rougon-Macquart*) ou sur un individu (les histoires de vie, les autobiographies...) ? Quelles unités le découpent (décennies/années/mois... minutes) ?

Mais on s'intéressera aussi à sa fiabilité (la tradition romanesque) ou à son brouillage (le Nouveau Roman, Pinget, Robbe-Grillet...), à son marquage direct ou indirect (les rides, les fissures...), à son rôle fonctionnel (l'étirement du temps dans le suspense...).

Enfin, le temps constitue aussi le motif de base de thématiques romanesques importantes : la vengeance, l'amnésie...

Nous reviendrons abondamment sur cette question du temps dans le chapitre 4, en montrant comment son analyse dépend aussi de ses rapports avec le temps de la narration.

APPLICATIONS PRATIQUES

1. *Essayez de reconstruire le schéma quinaire et le schéma actantiel du* Petit Chaperon Rouge.

2. *Résumez d'abord,* le plus brièvement possible, *un roman «classique» puis essayez de retrouver les cinq grandes étapes de l'intrigue.*

3. *Appliquez les différents critères d'analyse des personnages au fait-divers «Julie» (voir page 49).*

4. *Pouvez-vous indiquer les lieux typiques des genres suivants : le conte, le roman gothique, le roman policier «noir» ? Quelles sont leurs fonctions ?*

5. *Dans le roman d'A. Kristof,* Le grand cahier *(Points, Seuil, 1986), peut-on déterminer facilement le lieu (Par quelles indications ? Pourquoi ?) ?*

6. *Relevez dans le passage suivant – le début de l'*Éducation sentimentale *de Flaubert – les différentes indications spatio-temporelles et essayez d'en indiquer les fonctions.*

> «Le 15 septembre 1840, vers six heures du matin, *la Ville-de-Montereau*, près de partir, fumait à gros tourbillons devant le quai Saint-Bernard. [...] Enfin le navire partit ; et les deux berges, peuplées de magasins, de chantiers et d'usines, filèrent comme deux larges rubans que l'on déroule. Un jeune homme de dix-huit ans, à longs cheveux et qui tenait un album sous son bras, restait auprès du gouvernail immobile. A travers le brouillard, il contemplait des clochers, des édifices dont il ne savait pas les noms ; puis il embrassa, dans un dernier coup d'œil, l'île Saint-Louis, la Cité Notre-Dame ; et bientôt, Paris disparaissant, il poussa un grand soupir.
>
> M. Frédéric Moreau, nouvellement reçu bachelier, s'en retournait à Nogent-sur-Seine, où il devait languir pendant deux mois, avant d'aller *faire son droit*. Sa mère, avec la somme indispensable, l'avait envoyé au Havre voir un oncle, dont elle espérait, pour lui, l'héritage ; il en était revenu la veille seulement ; et il se dédommageait de ne pouvoir séjourner dans la capitale, en regagnant sa province par la route la plus longue.»

LECTURES CONSEILLÉES

BRÉMOND Claude,
   Logique du récit, Paris, Seuil, 1973.

GREIMAS, A.J.,
   Sémantique structurale, Paris, Larousse, 1966.
   Du sens, Paris, Seuil, 1970.

HAMON Philippe,
   «Pour un statut sémiologique du personnage», *Littérature n° 6*, 1972 ; article
   repris dans R. Barthes et alii, *Poétique du récit*, Paris, Points/Seuil, 1977.

LARIVAILLE Paul,
   «L'analyse (morpho)logique du récit», *Poétique* n° 19, 1974.

PROPP Vladimir,
   Morphologie du conte (1928), Paris, Seuil, 1965, coll. «Points».

III. La narration (1)
L'instance narrative

La narration concerne l'organisation de la fiction dans le récit qui l'expose. Les questions que nous allons aborder dans ce chapitre sont relativement ardues et font l'objet de débats théoriques complexes. Il faut donc être particulièrement vigilant pour ne pas risquer de confondre dans l'analyse ce qui est souvent inextricablement lié dans le texte.

1. Les deux modes narratifs

Reprenant des distinctions issues de Platon et d'Aristote, les narratologues considèrent qu'il existe deux grands *modes narratifs*.

Dans le premier (*diegesis*), le narrateur parle en son nom ou, au moins, ne dissimule pas les signes de sa présence. Le lecteur sait que l'histoire est *racontée*, médiée par un ou plusieurs narrateurs, une ou plusieurs consciences. Ce mode s'inscrit dans la tradition dominante de l'épopée et du roman.

Dans le second mode (*mimesis*), l'histoire *paraît* se raconter elle-même, sans médiation, sans narrateur apparent. On est dans le règne du *montrer* qui renvoie sans doute plus au théâtre, au drame, à certains romans dialogués ou monologués ou à la narration «neutre» que nous étudierons ultérieurement.

Ces deux modes correspondent en fait à deux tendances de la narration. De toutes façons l'histoire est narrée, médiée par du langage. Dans le premier cas, cela n'est pas masqué ; dans le second cas, on construit *l'impression* d'une présence immédiate. L'effet sera sans doute plus efficace dans le cas de paroles (des personnages) dans la mesure où le mimétisme est plus «évident» entre paroles de fiction et paroles «réelles» qu'entre langage narratif et «réalité» extra-langagière.

Le choix de l'un ou l'autre mode est tributaire de choix esthétiques mais aussi éthiques et moraux, par exemple dans le théâtre classique où sexe et violence demeuraient en coulisse, hors scène, simplement signalés ou rapportés dans le discours des acteurs.

Cette distinction est importante car elle se réalise en déterminant en grande partie quatre autres choix narratifs.

Scène/Sommaire

Avec le mode du *montrer*, les *scènes* auront une grande place. Ce sont des passages textuels qui se caractérisent par une visualisation importante (comme si cela se déroulait sous nos yeux) et une abondance de détails.

Les *sommaires* sont plutôt liés au mode du *raconter* ; ils présentent une nette tendance au résumé et une visualisation moindre comme en témoignent ces quelques lignes d'Octave Mirbeau dans *Le Calvaire* :

> «Les années s'écoulèrent ennuyeuses et vides [...] Mon enfance s'était passée dans la nuit, mon adolescence se passa dans le vague [...]»

Mais, ici encore, il ne faudrait pas en conclure à un clivage irrémédiable, tout roman alterne scènes et sommaires. Il s'agit d'analyser le mode dominant, les formes d'alternance et d'en comprendre les raisons. Par exemple, cette distinction a partie liée avec la *durée* et le *rythme* du roman (comme nous le verrons dans le chapitre suivant) ainsi qu'avec la *dramatisation* : le roman «classique» place ainsi les scènes comme des moments «forts» réunies par un tissu constitué des sommaires qui permettent d'expanser la durée fictive de l'histoire en raccourcissant le temps de la narration.

Les paroles des personnages

Selon le mode choisi, les paroles des personnages seront mises en texte de façon différente.

Dans le mode du *montrer*, elles auront l'air d'être présentes sans médiation, d'être rapportées «telles quelles» sous forme de monologues, dialogues. Le style direct dominera donc.

Dans le mode du *raconter*, elles seront médiées par le discours du narrateur. On aura ainsi, selon les cas, des paroles narrativées (ce qui instaure le plus de distance et concentre le plus), des paroles transposées au style indirect ou au style indirect libre.

En réalité, dans la plupart des romans, toutes ces modalités de transcription des paroles sont utilisées, selon les passages, ou à l'intérieur des mêmes passages. Ainsi, dans l'avant dernier chapitre de *L'Éducation sentimentale* de Flaubert, lorsque Frédéric et Mme Arnoux se revoient, le texte présente une succession sous forme de discours narrativisé (résumé), puis de paroles rapportées de Mme Arnoux, d'abord au style indirect libre, puis au style direct (les deux exclamations) :

> «Enfin il lui adressa quantité de questions sur elle et son mari. Ils habitaient le fond de la Bretagne pour vivre économiquement et payer leurs dettes. Arnoux, presque toujours malade, semblait un vieillard maintenant. Sa fille était mariée à Bordeaux et son fils en garnison à Mostaganem. Puis elle releva la tête :
> - Mais je vous revois ! Je suis heureuse !»

Il faudrait encore distinguer les modes de présence, médiés ou non, du discours «extérieur», prononcé et du discours «intérieur», non prononcé, qui nous installe dans l'intimité des personnages pour tenter de saisir les mouvements les plus minimes de leur vie psychique dans une sorte de «discours immédiat».

Depuis l'ouvrage de référence d'Edouard Dujardin, *Les Lauriers sont coupés* (1887), systématisant le monologue intérieur, les romanciers contemporains (Joyce, Faulkner, Beckett, N. Sarraute...) ont exploré cette dimension avec prédilection.

Le choix des perspectives

Le choix des perspectives (voir plus loin le chapitre III) fonctionne en corrélation avec les modes. Dans le mode du *montrer*, on classera les romans qui, soit donnent l'impression que l'histoire est enregistrée de manière objective sans narrateur (par exemple, certains romans d'Hemingway tels *Les Tueurs* ou *Hills like white elephants*), soit donnent l'impression inverse d'une absolue subjectivité : le lecteur est «dans» les personnages.

Nous reviendrons abondamment sur cette question dans la suite de ce chapitre.

Les fonctions du narrateur

Selon la perspective et le mode choisi, le narrateur apparaîtra plus ou moins dans la narration. Dans le mode du *raconter*, il pourra intervenir *directement*, en assumant des fonctions complémentaires et plus variées que celles que tient tout narrateur, même implicitement : *la fonction narrative* (il raconte et évoque un monde) et *la fonction de régie* ou de contrôle (il organise le discours dans lequel il insère les paroles des personnages).

On distingue au moins *cinq fonctions complémentaires*, non exclusives (elles peuvent se combiner dans le même passage), plus ou moins fréquentes et apparentes, dans le mode du *raconter*.

– **La fonction communicative** consiste à s'adresser au narrataire pour agir sur lui ou maintenir le contact. Ainsi, au début du chapitre XXIV du *Voyage autour de ma chambre* de Xavier de Maistre, on peut lire :

> «Avant d'aller plus loin, je veux détruire un doute qui pourrait s'être introduit dans l'esprit de mes lecteurs».

Cette fonction est particulièrement fréquente dans des romans humoristiques tels *Le Roman comique* de Scarron, *Tristam Shandy* de Sterne ou *Jacques le Fataliste* de Diderot…

– **La fonction métanarrative** consiste à commenter le texte et à signaler son organisation interne (c'est une fonction de régie explicite, qui sert souvent à des fins parodiques) :

> «Ces renseignements étaient tout ce que savait un monsieur Muret sur le compte du père Goriot, dont il avait acheté le fonds. Les suppositions que Rastignac avait entendu faire par la duchesse de Langeais se trouvaient ainsi confirmées. *Ici se termine l'exposition* de cette obscure, mais effroyable tragédie parisienne.»

> (H. de Balzac, *Le Père Goriot*, fin du premier chapitre)

– **La fonction testimoniale ou modalisante** exprime le rapport que le narrateur entretient avec l'histoire qu'il raconte. Elle peut être centrée sur *l'attestation* (le narrateur exprime son degré de certitude ou sa distance vis-à-vis de l'histoire), sur l'*émotion* (il exprime les émotions que l'histoire ou sa narration suscitent en lui), sur l'*évaluation* (il porte un jugement sur les actions et les acteurs) :

«Ah ! sachez-le : ce drame n'est ni une fiction, ni un roman. *All is true*, il est si véritable que chacun peut en reconnaître les éléments chez soi, dans son cœur peut-être.»

(*Le Père Goriot*, chapitre I).

«Ils se dirent mille choses si tendres que j'en ai les larmes aux yeux toutes les fois que j'y pense.»

(Scarron, *Le roman comique*, chapitre IX).

– **La fonction explicative** consiste à donner au narrataire des éléments jugés nécessaires pour comprendre l'histoire :

«Aussi écarté qu'il puisse être du récit anecdotique de ce livre, et parce qu'il touche si directement à une ou deux très intéressantes particularités des mœurs du cachalot, le présent chapitre, pour commencer, est tout aussi important que le plus important des autres.»

(Melville, *Moby Dick*, chapitre 45).

Cette fonction a été considérablement développée par les romanciers du XIXe siècle qui manifestaient un souci didactique (Sue, Hugo…). Elle peut aussi être tenue par les notes en bas de page.

– **La fonction généralisante ou idéologique** se situe dans des fragments de discours plus abstraits ou didactiques, qui proposent des jugements généraux sur le monde, la société, les hommes… Cela prend souvent la forme de maximes ou de morales au présent de l'indicatif :

«Un homme doit bien étudier une femme avant de lui laisser voir ses émotions et ses pensées comme elles se produisent. Une maîtresse aussi tendre que grande sourit aux enfantillages et les comprend ; mais pour peu qu'elle ait de la vanité, elle ne pardonne pas à son amant de s'être montré enfant, vain ou petit.»

(Balzac, *Illusions perdues*).

2. Les deux formes fondamentales du narrateur

A côté de la question du *mode* qui désigne la façon plus ou moins immédiate dont est présentée la fiction, se pose celle du *narrateur* (puisqu'il existe toujours) qui renvoie à celui qui raconte l'histoire.

Il prend deux formes fondamentales. Soit il est absent comme personnage, hors de la fiction qu'il raconte et on parlera d'un *narrateur hétérodiégétique*, soit il est présent dans la fiction qu'il raconte et on parlera d'un *narrateur homodiégétique* [1].

Cette distinction est essentielle et entraîne la domination dans le texte de l'une ou de l'autre des deux grandes formes d'organisation du message : le discours ou le récit.

Dans le *discours*, l'énonciation est présente sous les formes des *pronoms* qui renvoient aux participants de l'acte de communication (Je, Tu, Nous, Vous...), et des *repérages* spatio-temporels situés par rapport au moment de l'énonciation. Ainsi les temps seront le présent, le futur et, à côté de l'imparfait et du plus-que-parfait, le passé composé ; les marqueurs temporels seront, par exemple, «aujourd'hui», «hier», «demain», «il y a deux jours», «ce mois-ci», «dans trois ans» ...

Dans le *récit* en revanche, l'énonciation est masquée. On a l'impression d'être en présence d'un compte rendu objectif. Les *pronoms* renvoient aux personnages mentionnés dans le message, ceux dont on parle (il(s)/elle(s)) et les *repérages* s'effectuent entre les moments de l'énoncé. Le temps dominant du passé (à côté de l'imparfait et du plus-que-parfait) sera le passé simple et les marqueurs temporels, par exemple, «le 18 juin» ou «ce jour-là», la veille», «le lendemain», «deux jours avant», «ce mois-là», «trois ans après» ...

Même si aucun texte n'est «pur» et que ces deux organisations sont souvent mêlées, on voit bien les différences dans les deux extraits suivants qui parlent de Marken, petite île, proche d'Amsterdam :

> «Un village de poupée, ne trouvez-vous pas ? Le pittoresque ne lui a pas été épargné ! Mais je ne vous ai pas conduit dans cette île pour le pittoresque, cher ami. Tout le monde peut vous faire admirer des coiffes, des sabots, et des maisons décorées où des pêcheurs

---

1. L'opposition homo/hétérodiégétique tend aujourd'hui à s'imposer. Elle recouvre cependant deux phénomènes distingués par G. Genette dans *Figures III*. Tout d'abord une opposition de *niveau* : le narrateur est *hors* de la fiction considérée (*extra-diégétique*) ou *dans* la fiction considérée (*intra-diégétique*). Ensuite une opposition portant sur la relation du narrateur à l'histoire qu'il raconte : il en est absent (*hétérodiégétique*) ou c'est sa propre histoire (*homodiégétique*). Ainsi, par exemple, Scheherazade est un narrateur dans la fiction (intra-diégétique), mais raconte des histoires d'où elle est absente (hétéro-diégétique).

fument du tabac dans l'odeur de l'encaustique. Je suis un des rares, au contraire, à pouvoir vous montrer ce qu'il y a d'important ici.»

(A. Camus, *La Chute*)

«De tout temps, Marken, dont toute la population est protestante, a constitué un cercle fermé. Marken fut séparée du continent au XIIIe siècle et, jusqu'à la fermeture du Zuiderzee, la population vivait de la pêche ; aujourd'hui, Marken vit surtout de la construction de remorqueurs et du tourisme.»

(*Guide Michelin*, 1977, Bénélux).

Dans le premier texte, nous sommes dans le *discours* : l'impression de subjectivité est nette avec les pronoms («Je» ; «Vous»), les exclamations et les interrogations, le présent qui relie temps de l'énonciation et temps de l'énoncé… Dans le second, qui est un *récit,* le message présente une façade d'objectivité, sans intrusion du narrateur, avec la troisième personne, le passé simple et des phrases déclaratives. Même s'il existe des «traces» de discours (aujourd'hui et le présent), elles sont «dominées» et moins nettes fonctionnellement : «aujourd'hui» ne désigne pas le moment de l'énonciation mais la coupure avec le passé ; le présent et le passé composé renvoient plus à une durée qu'au moment précis où se tiendrait le discours.

Ainsi, pour récapituler, avec le narrateur hétérodiégétique, qui n'est pas un protagoniste de l'histoire qu'il raconte, le récit domine ; avec le narrateur homodiégétique, qui est un protagoniste de l'histoire qu'il raconte, le discours domine. Dans le premier cas, nous aurons des romans du *Il* ; dans le second, des romans du *Je.*

3. Les perspectives narratives

Si les formes de base du narrateur répondent à la question «Qui *raconte* dans le roman ?», les *perspectives narratives* (ou *focalisations*) répondent à : «Qui *perçoit* dans le roman ?».

En effet, si le lecteur pénètre dans la fiction par un discours qui la raconte, il la perçoit selon une optique, une perspective qui peut varier, selon un centre d'orientation qui détermine ce qu'il perçoit, les informations données, etc. Il importe donc de ne pas confondre la narration et la focalisation, comme nous le montre le passage suivant, extrait de *Lac* de Jean Echenoz (1989) :

«Resté debout près des portes de l'hôtel, sous l'éventail de verre, Chopin les suivit du regard. En contrebas de la terrasse, posé sur son pliant, un aquarelliste d'âge mûr tachait à petits coups de brosse un format raisin fixé sur un trépied. L'une des embardées du setter manquant de bousculer le chevalet, l'amant excédé se mit à menacer discrètement de la fourrière cette bête qui les suivait toujours, qui leur gâchait le séjour. Chopin se détacha de l'entrée du Parc Palace, traversa la terrasse et descendit les marches dans la même direction.

L'aquarelliste, vu de près, n'avait pas l'air beaucoup plus vieux que les nababs vautrés, mais l'effet de l'âge avait été beaucoup plus grand sur lui, beaucoup plus gris. Vêtu de beige il peignait, son regard las se déposant en alternance sur un modèle, sur son ouvrage, avec une lueur d'étonnement navré comme qui relèverait d'un knock-out. A présent immobile, il tenait en suspens son pinceau. Chopin s'arrêta derrière lui : sur un mode appliqué, l'aquarelle représentait la façade de l'hôtel avec ses hautes portes vitrées, ses rangs de fenêtres closes dont le détail supposait des heures de soin. Sans doute installé dès le matin, l'artiste n'avait rien dû perdre des allées et venues des pensionnaires qui très souvent ralentissaient à sa hauteur. […]»

Dans ce texte, le lecteur découvre personnages, objets et paysage, par Chopin. C'est lui qui organise la perspective ; pourtant ce n'est pas lui qui raconte, qui est le narrateur.

On distingue traditionnellement – nous y reviendrons plus loin – trois grandes perspectives : celle qui passe par le narrateur, celle qui passe par un ou plusieurs personnages et celle qui semble neutre, ne passer par aucune conscience. La première est souvent nommée «vision par derrière» ou «focalisation zéro», la seconde «vision avec» ou «focalisation interne» et la troisième «vision du dehors» ou «focalisation externe».

Nous noterons ici que la *perspective* détermine la quantité de savoir perçu (c'est son *degré de profondeur*) et les domaines qu'elle peut appréhender, l'extérieur ou l'intérieur des choses et des êtres, qui en font une perception externe ou interne.

Signalons aussi que le terme de focalisation risque d'induire en erreur en renvoyant trop manifestement à la vision. Il s'agit bien de *perception* de l'univers qui, outre la vision (certes la plus répandue), peut passer par les autres sens : l'odorat (voir *Le Parfum* de P. Süskind) ou l'ouïe et le toucher (voir *Les Aveugles* d'Hervé Guibert).

LA PERSPECTIVE NARRATIVE SELON J. LINTVELT

«La perspective narrative concerne la perception du monde romanesque par un sujet percepteur : narrateur ou acteur.

La perception se définit «action de connaître, de percevoir par l'esprit et les sens» (Larousse). La perspective narrative ne se limite donc pas au centre d'orientation visuel, c'est-à-dire à la question de savoir qui «voit», mais implique aussi le centre d'orientation auditif, tactile, gustatif et olfactif. Comme la perception du monde romanesque se trouve filtrée par l'esprit du centre d'orientation, la perspective narrative est influencée par le psychisme du percepteur.»

(Essai de typologie narrative)

4. L'instance narrative

L'instance narrative se construit dans l'articulation entre les deux formes fondamentales du narrateur (homo- et hétérodiégétique) et les trois perspectives possibles (centrées sur le narrateur, l'acteur, ou neutre). On obtient ainsi cinq grandes combinaisons et non six car il serait paradoxal de réunir un narrateur homodiégétique (en *Je* subjectif) et une perspective «neutre» sans conscience apparente. Nous allons donc préciser ces cinq combinaisons.

La narration hétérodiégétique centrée sur le narrateur

Elle ouvre le plus de possibilités. Le narrateur peut maîtriser tout le savoir (il en sait plus que les personnages), sans limitation de profondeur externe ou interne, en tous lieux et en tous temps, ce qui lui permet retours en arrière et anticipations *certaines*. On parle de lui comme d'un *narrateur omniscient* dans la mesure où sa vision peut être illimitée et où elle n'est pas liée à la focalisation par tel ou tel personnage. Il peut bien sûr assumer toutes les fonctions du narrateur. Cette combinaison a été abondamment utilisée dans la tradition classique et réaliste et par les auteurs du roman-feuilleton. Elle peut être employée de façon parodique pour souligner la toute-puissance du narrateur (voir *Jacques le Fataliste* de Diderot ou les ouvrages de San-Antonio).

La narration hétérodiégétique centrée sur l'acteur (le personnage)

Elle est plus limitée dans la mesure où le narrateur ne peut savoir que ce que le personnage qui oriente la focalisation sait. La profondeur, externe et interne, est donc restreinte ; les retours en arrière sont possibles mais ni les anticipations certaines ni l'ubiquité. Les fonctions du narrateur seront réduites. Un bon exemple en est le roman de Henry James, *Ce que savait Maisy*, dans lequel le monde est perçu par les yeux d'une fillette qui observe les évolutions amoureuses des adultes sans toujours bien les comprendre. Cette combinaison permet des variations intéressantes car la focalisation peut être maintenue sur un personnage ou changer d'acteurs (ainsi dans *Madame Bovary*, si elle est attribuée de façon dominante à Emma, elle est parfois attribuée à Charles) à ce qui peut produire des visions *monoscopique* (d'un seul point de vue) ou *polyscopique* du même événement.

La narration hétérodiégétique neutre

Elle est plus rare et plus récente. Elle a été illustrée par des romanciers américains (Hemingway, Hammett…) notamment dans le roman policier à l'écriture «behavioriste» (dépeignant les comportements et non la psychologie) et certains auteurs du *Nouveau Roman*. Elle donne l'impression que les événements se déroulent sous l'œil d'une caméra, d'un témoin objectif, sans être filtrés par une conscience. La vision apparaît très limitée, on en sait moins que les personnages. Les retours en arrière sont assez rares, les anticipations certaines et l'ubiquité impossibles ainsi que l'expression des fonctions complémentaires du narrateur. Il est à noter que cette combinaison s'accompagne, en général, d'une absence des marques de subjectivité dans le discours et produit l'effet d'une certaine «dureté», d'une absence d'émotion.

La narration homodiégétique centrée sur le narrateur

C'est celle qui domine dans les confessions ou les autobiographies. Si le narrateur est le même personnage que l'acteur, il en est néanmoins distancié dans le temps, il parle de sa vie rétrospectivement. Cela lui donne un savoir plus grand, une vision plus ample, une profondeur interne et externe. Cela lui permet bien sûr le retour en arrière sur lequel est fondée la narration mais aussi des anticipations certaines. Il ne se prive pas (*Les Confessions* de J.-J. Rousseau en sont un flagrant exemple !) d'intervenir en assumant de multiples fonctions. Cette combinaison est donc assez puissante même si – contrairement à la première – ubiquité et connaissance interne des autres personnages sont absentes. Dans ce cadre, il est aussi concevable d'envisager des variations de narrateur et d'obtenir une vision *polyscopique* : dans divers films ou romans, un homme et une femme racontent, l'un après l'autre, l'histoire de leur couple. Il convient encore de distinguer les cas où le narrateur raconte sa vie (on parle de narration *autodiégétique*) ou ceux où il raconte des aventures qui mettent en scène un autre personnage : c'est le cas de *Moby Dick* de Melville qui, narré par Ismahel, pose au centre de l'intérêt le capitaine Achab.

La narration homodiégétique centrée sur l'acteur (le personnage)

Il raconte son histoire comme si elle se déroulait au moment de la narration. On construit une illusion de simultanéité entre les événements et leur récit (ce qui autorise l'utilisation du présent). Le narrateur n'est donc plus distancié du présent et sa vision s'en trouve limitée, identique à celle du personnage qui perçoit ce qui lui arrive au moment où cela advient. Cela restreint fortement la profondeur, externe et même interne, les fonctions du narrateur et élimine les anticipations certaines. On peut penser ici à des romans qui tentent d'instaurer le monologue intérieur intégral, au précurseur E. Dujardin avec *Les Lauriers sont coupés* ou au travail de N. Sarraute dans des œuvres telles que *Martereau* ou *Fugues*.

Nous nous garderons cependant de figer ces classifications. Tout d'abord parce qu'un roman, même s'il se caractérise par des dominantes, intègre généralement des fragments organisés alternativement sur plusieurs de ces composantes : c'est le cas de ceux dominés par la combinaison la plus puissante, – la narration hétérodiégétique centrée sur le narrateur – qui permet des «décrochages» sur n'importe quelle autre combinaison ; c'est aussi le cas de nombre d'histoires de vie qui oscillent, avec un narrateur homodiégétique, entre la perspective du narrateur et celle de l'acteur (voir Marie Cardinal, *Les Mots pour le dire*).

Ensuite, il faut remarquer que nombre d'auteurs multiplient à dessein les combinaisons (J. Fowles, *La Créature*) ou les brouillent. C'est le cas, par exemple, de Butor dans *La Modification* où le *vous* domine et celui de Perec dans *Un homme qui dort,* narré avec le *tu,* sans que l'on sache si le narrateur se confond avec le personnage où s'en différencie. C'est le cas encore avec *La Jalousie* d'Alain Robbe-Grillet où une narration hétérodiégétique apparemment neutre s'avère dissimuler un narrateur tenaillé par la jalousie.

Ces classifications ne sont pas simplement techniques. Il convient donc d'en étudier les intérêts pour l'auteur et le lecteur. Ainsi la narration hétérodiégétique centrée sur le narrateur permet de continuer le récit même si le protagoniste principal perd conscience ou meurt, elle favorise des durées longues et des lieux très divers. De son côté, la narration hétérodiégétique centrée sur l'acteur permet de dissimuler au lecteur des informations sur ce que font, préparent ou pensent les autres personnages et ménage ainsi des effets de surprise.

Ces classifications reposent aussi sur des choix philosophiques et éthiques. Flaubert écrivait ainsi, dans une lettre du 18 mars 1857 : «L'artiste doit être dans son œuvre comme Dieu dans la création, invisible et tout-puissant, qu'on le sente partout, mais qu'on ne le voie pas.», s'opposant de la sorte à des conceptions privilégiant les interventions du narrateur. Plus récemment, dans un article de 1939, «Monsieur François Mauriac et la liberté», J.P. Sartre prenait à partie François Mauriac pour sa conception de la narration en écrivant :

> «Mais un roman est écrit par un homme pour des hommes. Au regard de Dieu, qui perce les apparences sans s'y arrêter, il n'est point de roman, il n'est point d'art, puisque l'art vit d'apparences. Dieu n'est pas un artiste ; M. Mauriac non plus.»

De fait, «l'absence» d'un narrateur omniscient privilégie des impressions telles que l'existence autonome des personnages ou le sentiment de l'absurde, puisque la causalité psychologique n'explique plus l'enchaînement des actions.

5. Les niveaux narratifs

Les récits emboîtés

Un problème supplémentaire vient parfois compliquer le dispositif exposé : la présence de plusieurs récits dans le même roman. Ce phénomène peut prendre des formes très variées dont nous n'indiquerons ici que les principales.

Un ou plusieurs personnages racontent, imaginent ou rêvent une ou plusieurs autres histoires. Dans ce cas, ils deviennent eux-mêmes narrateur d'une fiction. Ce mécanisme peut être ponctuel ou généralisé comme dans les *Mille et une nuits*, le *Décameron* de Pétrone ou l'*Heptaméron* de Marguerite de Navarre.

Un personnage déclare avoir trouvé le manuscrit que nous allons lire ou tenir l'histoire de quelqu'un d'autre. C'est un cas fréquent – jeu ou défense face au statut peu légitimé du roman – au XVIIIᵉ siècle, et cela peut mener jusqu'à une construction complexe d'histoires enchâssées les unes dans les autres comme dans *Le Manuscrit trouvé à Saragosse* de Jan Potocki.

Les relations entre récit premier (ou «enchâssant») et récit second (ou «enchâssé») peuvent en conséquence être multiples, explicites ou implicites, de brouillage ou d'éclaircissement de l'histoire, d'explication, de prédiction, de commentaire, etc. Un des cas les plus intéressants est celui de la *mise en abyme* où un passage, un fragment, renvoie à la composition de l'ensemble comme dans les miroirs des tableaux flamands (ou plus prosaïquement le médaillon à l'oreille de la Vache qui rit). Dans l'exemple suivant, il est question de la disparition d'un cinquième élément masqué par l'ensemble, ce qui réfère au principe de structuration de *La Disparition* de G. Perec, roman lipogramme qui raconte une série de disparitions sans employer de mots contenant la lettre/e/, la cinquième (sur vingt-six) de l'alphabet.

> «Il souffrait moins, mais il s'affaiblissait. Alangui tout au long du jour sur son lit, sur son divan, sur son rocking-chair, crayonnant sans fin au dos d'un bristol l'indistinct motif du tapis d'Aubusson, il divaguait parfois, pris d'hallucinations. Il marchait dans un haut corridor. Il y avait au mur un rayon d'acajou qui supportait vingt-six in-folios. Ou plutôt, il aurait dû y avoir vingt-six in-folios, mais il manquait, toujours, l'in-folio qui offrait (qui aurait dû offrir) sur son dos l'inscription «CINQ». Pourtant, tout avait l'air normal : il n'y avait pas d'indication qui signalât la disparition d'un in-folio (un carton, «a ghost» ainsi qu'on dit à la National Library) ; il paraissait n'y avoir aucun blanc, aucun trou vacant. Il y avait plus troublant : la disposition du total ignorait (ou pis : masquait, dissimulait) l'omission : il fallait la parcourir jusqu'au bout pour savoir, la soustraction aidant (vingt-cinq dos portant subscription du «Un» au «VINGT-SIX», soit vingt-six moins vingt-cinq font un), qu'il manquait un in-folio ; il fallait un long calcul pour voir qu'il s'agissait du «CINQ».

La métalepse

Ce problème des niveaux concerne aussi les glissements flagrants entre fiction et narration, baptisés *métalepses*. C'est le cas lorsque dans une narration hétérodiégétique, le narrateur émerge brutalement dans la fiction et/ou invite le lecteur à en faire de même. C'est le cas aussi, lorsqu'à l'inverse, les personnages interpellent le narrateur ou le lecteur. Les romanciers du XIXe siècle, surtout dans les romans feuilletons, ont ainsi fréquemment utilisé les *métalepses d'auteur* du type : «Laissons-les aller dans cet endroit…», «Pénétrons à sa suite dans cette maison…» ou des *métalepses narratives* qui rompent le mécanisme de l'histoire : «Pendant que X fait cela, il n'est pas inutile d'expliquer que…». Un auteur comme Jacques Roubaud multiplie les métalepses de différents types dans ses récits (*La belle Hortense* (1985), *L'Enlèvement d'Hortense* (1987), *L'Exil d'Hortense* (1990), éditions Ramsay), afin de réfléchir sur les procédés utilisés dans les romans et de les mettre en cause.

Selon les cas, la métalepse peut donc servir à guider ou intéresser le lecteur, à le divertir (la tradition parodique de Scarron à San-Antonio), à créer le fantastique en brouillant les frontières du réel (Borges ou Cortazar) ou à rompre le vraisemblable et à interroger les codes de la représentation (A. Robbe-Grillet ou J. Roubaud).

L'exemple suivant, tiré du roman de Claude Klotz, *Cosmos-Cross*, manifeste bien les effets comiques que l'on peut tirer de ce procédé. Le héros (Raner) s'apprête à torturer, pour le faire parler, le «méchant» (Fersen) :

> «La flamme bleue du gaz s'écrasa en jaune sur le fil étincelant du rasoir. Fersen eut un jappement et ses genoux remontèrent en un recroquevillement de défense.
> Raner se releva, l'acier rougeoyait.
> – Les personnes sensibles sont priées de sauter le chapitre, dit-il.»

APPLICATIONS PRATIQUES

1. *Dans l'extrait suivant de* La Bête humaine *de Zola, indiquez ce qui peut constituer une scène et le ou les passage(s) qui tend(ent) au sommaire. Relevez aussi les paroles narrativisées (résumées) et celles au style direct. Quels signes indiquent que l'on est dans une narration hétérodiégétique centrée sur le narrateur ?*

– Un soir, Roubaud eut un réveil de sa jalousie farouche d'autrefois. Comme il était allé chercher Jacques au dépôt, et qu'il le ramenait prendre chez lui un petit verre, il rencontra, descendant l'escalier, Henri Dauvergne, le conducteur-chef. Celui-ci parut troublé, expliqua qu'il venait de voir Mme Roubaud, pour une commission dont l'avaient chargé ses sœurs. La vérité était que, depuis quelque temps, il poursuivait Séverine, dans l'espoir de la vaincre.
Dès la porte, le sous-chef apostropha violemment sa femme.
«Qu'est-il encore monté faire, celui-là ? Tu sais qu'il m'embête !
– Mais, mon ami, c'est pour un dessin de broderie…
– De la broderie, on lui en fichera ! Est-ce que tu me crois assez bête pour ne pas comprendre ce qu'il vient chercher ici ?… Et toi, prends garde !»
Il marchait sur elle, les poings serrés, et elle reculait, toute blanche, étonnée de l'éclat de son comportement, dans la calme indifférence où ils vivaient l'un et l'autre. Mais il s'apaisait déjà. Il s'adressait à son compagnon.
«C'est vrai, des gaillards qui tombent dans un ménage, avec l'air de croire que la femme va tout de suite se jeter à leur tête, et que le mari, très honoré, fermera les yeux ! Moi, ça me fait bouillir le sang… Voyez-vous, dans un cas pareil, j'étranglerais ma femme, oh ! du coup ! Et que ce petit monsieur n'y revienne pas, ou je lui règle son affaire… N'est-ce pas ? C'est dégoûtant.»
Jacques, très gêné de la scène, ne savait quelle contenance tenir. Etait-ce pour lui, cette exagération de colère ? Il se rassura, lorsque ce dernier reprit d'une voix gaie :
«Grande bête, je sais bien que tu le flanquerais toi-même à la porte… Va, donne-nous des verres, trinque avec nous.»
Il tapait sur l'épaule de Jacques, et Séverine, remise elle aussi, souriait aux deux hommes. Puis, ils burent ensemble, ils passèrent une heure très douce.

2. *Indiquez à quels types de narration et de focalisation appartiennent les extraits suivants en justifiant vos réponses à l'aide de critères précis.*

«… L'heure a sonné ; six heures, l'heure attendue. Voici la maison où je dois entrer, où je trouverai quelqu'un ; la maison ; le vestibule ; entrons.»

(E. Dujardin, *Les Lauriers sont coupés*).

«Le duc jeta sur madame Camusot un de ces rapides regards par lesquels les grands seigneurs analysent toute une existence, et

souvent l'âme. La toilette d'Amélie aida puissamment le duc à
deviner cette vie bourgeoise depuis Alençon jusqu'à Nantes, et de
Nantes à Paris.

Ah ! si la femme du juge avait pu connaître ce don des ducs, elle
n'aurait pu soutenir gracieusement ce coup d'œil poliment ironique,
elle n'en vit que la politesse. L'ignorance partage les privilèges de
la finesse.»

(H. de Balzac, *Splendeurs et misères des courtisanes*)

«Comme il s'endormait, la soupape d'une cocotte-minute se
déplaça légèrement dans la cuisine du troisième gauche au 118 rue
Amelot, à six stations de métro de là […]».

(J. Echenoz, *Cherokee*).

«Après deux ans de silence et de patience, malgré mes résolutions,
je reprends ma plume. Lecteur, suspendez votre jugement sur les
raisons qui m'y forcent. Vous n'en pouvez juger qu'après m'avoir
lu. […] Le sort, qui durant trente ans favorisa mes penchants, les
contraria durant les trente autres, et, de cette opposition continuelle
entre ma situation et mes inclinations, on verra naître des fautes
énormes, des malheurs inouïs, et toutes les vertus, excepté la force,
qui peuvent honorer l'adversité.»

(J.J. Rousseau, *Les Confessions*)

«Terrier monta à pied. Il n'y avait pas d'ascenseur. Le logement de
l'homme était un studio mansardé sous les combles, au sixième
étage. Le téléphone sonnait à l'intérieur quand Terrier atteignit son
palier. Comme Terrier ouvrait et entrait, l'appareil cessa de
sonner. L'homme referma la porte derrière soi ; donna de la
lumière et demeura un instant immobile, son sac de voyage posé
par terre près de lui.»

(J.P. Manchette, *La Position du tireur couché*)

«Le jour suivant, elle [Maisie] eut plutôt l'impression que la
France se trouvait en bas, tout en bas dans les profondeurs agitées
et glacées où chaque tangage du bateau semblait pénétrer, et qui lui
permettait à peine de distinguer les hauteurs morales où Sir Claude
continuait à se tenir sur ce bateau traversant la Manche. Elle le
trouva cependant plus noble que jamais, quand, mouillé jusqu'aux
os en dépit d'un auvent de toile, il eut la gentillesse de rester avec
la tête de Maisie sur ses genoux, et celle de la femme de chambre
de Mrs. Beale appuyée à son épaule.»

(H. James, *Ce que savait Maisie*)

«A ces mots, il [Asmodée] ne fit simplement qu'étendre le bras
droit, et aussitôt tous les toits parurent enlevés. Alors l'écolier vit
comme en plein midi tout l'intérieur des maisons.»

(Lesage, *Le Diable boiteux*)

LECTURES CONSEILLÉES

1. *Pour l'ensemble du chapitre : narration, focalisation, modes, niveaux :*

BOOTH C. Wayne,
«Distance et point de vue», dans R. Barthes, W. Kayser, W.C. Booth et Ph. Hamon : *Poétique du récit*, Paris, Seuil, 1977, coll. «Points».

GENETTE Gérard,
Figures III, Paris, Seuil, 1972.
Nouveau discours du récit, Paris, Seuil, 1983.

KAYSER Wolfgang,
«Qui raconte le roman», dans R. Barthes et alii, 1977.

LINTVELT Jaap,
Essai de typologie narrative, Paris, Corti, 1981.

POUILLON Jean,
Temps et roman, Paris, Gallimard, 1946.

TODOROV Tzvetan,
«Les catégories du récit littéraire», *Communications* n° 8, 1966.

2. *Sur le couple discours/récit :*

BENVENISTE Émile,
«Les relations de temps dans le verbe français», dans *Problèmes de linguistique générale*, Paris, Gallimard, 1966.

MAINGUENEAU Daniel,
Éléments de linguistique pour le texte littéraire, Paris, Bordas, 1986, chapitre 2.

3. *Sur l'emboîtement des récits :*

DALLENBACH Lucien,
Le récit spéculaire. Essai sur la mise en abyme, Paris, Seuil, 1977.

IV. La narration (2)
Le temps

Outre les questions ayant trait à la parole et à la perspective, la narration met en jeu la *temporalité*. Tout récit tisse en effet des relations entre au moins deux séries temporelles : le *temps fictif de l'histoire* et le *temps de sa narration*. A partir de ce constat, il est possible d'interroger leurs rapports sur quatre points essentiels : le moment de la narration, la vitesse de narration, la fréquence et l'ordre.

1. Le moment de la narration

Le moment de la narration réfère à une question simple. Quand est racontée l'histoire par rapport au moment où elle est censée s'être déroulée ? Quatre positions sont possibles.

– La *narration ultérieure* est la plus évidente et la plus fréquente. Elle organise la majorité des romans. Le narrateur signale qu'il raconte ce qui s'est passé auparavant, dans un passé plus ou moins éloigné.

– La *narration antérieure*, plus rare, porte essentiellement sur des passages textuels. A valeur prédictive, souvent sous forme de rêves ou de prophéties, elle anticipe la suite des événements, le futur. Il ne faut pas la confondre avec certains genres, comme la science fiction, qui peut parfaitement raconter ce qui est futur par rapport à notre présent *réel*, comme si cela s'était déroulé dans le passé (par exemple, *1984* de Georges Orwell).

– La *narration simultanée* donne l'illusion qu'elle s'écrit au moment de l'action. Elle est souvent liée à la narration homodiégétique centrée sur l'acteur ou à la narration hétérodiégétique neutre. Certains romanciers contemporains ont tenté de donner consistance à cette position en racontant l'histoire d'un romancier en train d'écrire un roman.

– La *narration intercalée* est en fait une combinaison des deux premières, la narration s'insérant, de manière rétrospective ou prospective, dans les pauses de l'action. Le journal intime favorise ce genre de procédés.

A côté de ces positions de base, il faut être attentif aux variations qui produisent des effets : c'est le cas des interventions de l'auteur qui recherchent la connivence avec le lecteur dans la simulation d'une communication possible ; c'est le cas des métalepses humoristiques ou d'un présent qui cherche à actualiser pour le lecteur ce qu'il sait pourtant passé, procédé fréquent dans les récits historiques : «Nous sommes en telle année…».

2. La vitesse

La *vitesse* concerne le rapport entre la durée fictive des événements (en années, mois, jours, heures…) et la durée de la narration (ou plus exactement de la mise-en-discours, exprimée en nombre de pages ou de lignes). Les romanciers ont très vite vu qu'il s'agissait d'une de leurs grandes prérogatives comme l'exprime Fielding dans *Tom Jones* (Livre II, chapitre I) :

> «Mon lecteur ne devra donc pas s'étonner si, dans le cours de cet ouvrage, il trouve certains chapitres très courts et d'autres tout à fait longs ; certains qui ne comprennent que le temps d'un seul jour, et d'autres des années ; bref, si mon récit semble parfois piétiner sur place et d'autres fois voler. […] car, étant en réalité le fondateur d'une nouvelle province littéraire, j'ai toute liberté d'édicter les lois qu'il me plaît dans cette juridiction».

Pour celui qui analyse le récit, il est donc assez simple de réfléchir sur le rythme d'un roman, ses accélérations et ses ralentissements, en comparant la durée des moments évoqués et le nombre de pages ou de lignes mis à les raconter.

Nous pouvons ainsi dégager quelques grandes tendances. L'*ellipse* est le degré ultime de l'accélération puisque des années peuvent être condensées dans une absence de narration, souvent signalée a posteriori, en peu de mots, comme dans cet exemple de Gide dans *Paludes* :

> «Vers cinq heures le temps fraîchit ; je fermai mes fenêtres et je me remis à écrire.
>
> A six heures entra mon grand ami Hubert ; il revenait du mariage.»

Certains auteurs sont friands de cette technique. On a ainsi beaucoup parlé des «blancs chronologiques» chez Flaubert. Dans *L'Éducation sentimentale*, le chapitre II se conclut sur la séparation entre Frédéric et son ami Deslauriers, et le troisième chapitre commence ainsi, signalant l'ellipse :

> «*Deux mois plus tard*, Frédéric, débarqué un matin rue Héron, songea immédiatement à faire sa grande visite.»

Proche de l'ellipse, le *sommaire*, que nous avons rencontré dans le chapitre précédent, condense et résume. A un temps parfois long de la fiction, il répond par quelques mots ou quelques lignes.

La *scène* qui veut «visualiser», donner l'illusion que cela se passe sous nos yeux, va donc produire l'impression d'une égalité entre temps de la fiction et temps de la narration.

A l'inverse de l'ellipse, certains moments "nuls" ou très brefs de la fiction peuvent faire l'objet d'une narration, parfois longue. C'est le cas des *descriptions* qui développent ce qui est saisi en un court instant ou des *interventions du narrateur* qui ne correspondent pas à des événements.

D'un autre point de vue, en schématisant encore, on pourrait avancer que la narration d'actions tend à l'accélération, la description au ralentissement, et que les dialogues instaurent une impression d'égalité entre durée de la fiction et durée de la narration.

Ces données permettent de mettre en lumière de nombreux phénomènes. Nous pouvons par exemple opposer des romans d'action ou de reportage qui useront d'ellipses, de sommaires et de nombreuses scènes (par exemple, *La Condition humaine*) à des romans plus psychologiques ou «intériorisés» qui apparaîtront comme plus lents. On peut aussi mettre en lumière des choix esthétiques tels ceux du *Nouveau Roman* ou d'une partie du roman contemporain qui expansent la durée narrative au détriment de la durée fictive. Ainsi dans *L'Agrandissement*, Claude Mauriac raconte deux minutes en deux cent pages, rythmées par la sonnerie du téléphone. On peut encore étudier l'évolution d'un cycle romanesque comme le fait Gérard Genette à propos de *La Recherche du temps perdu* de Marcel Proust (*Figures III*, pp. 127 et sq.) en montrant l'accroissement de scènes très longues correspondant à de courtes durées dans l'histoire fictive.

On peut enfin analyser précisément certains procédés comme l'ellipse hypothétique, comprise après coup, très utilisée dans les alibis du roman policier ou encore le suspense qui développe, à l'aide de nombreuses techniques (dialogues, descriptions, changements de perspectives…), le temps inclus entre l'ouverture et la fermeture d'une séquence à risque.

3. La fréquence

La fréquence désigne le nombre de reproductions des événements fictionnels dans la narration.

On peut distinguer trois grandes possibilités. La première, la plus courante, celle qui semble la plus «normale», consiste à raconter une fois ce qui s'est passé une fois, ou bien *n* fois ce qui s'est passé *n* fois. Ce mode *singulatif* établit donc une égalité.

Dans le mode *répétitif* en revanche, le texte raconte *n* fois ce qui s'est passée une seule fois dans la fiction. Cette technique est souvent liée aux variations de points de vue dans le roman épistolaire du XVIIIe siècle pour montrer les différences psychologiques, les manipulations et leurs effets, et dans le roman contemporain qui relativise «la vérité des choses» comme dans *Le Bruit et la fureur* de Faulkner. L'école du *Nouveau Roman* a été assez friande de ce procédé qui brouille l'effet de réel, insiste sur la perception et situe l'intérêt de la lecture dans les déplacements parfois minimes que l'écriture introduit dans la répétition. On peut penser aux romans de Cl. Simon ou à Robbe-Grillet qui répète sans fin la mort d'un mille-pattes dans *La Jalousie*.

Enfin, le *mode itératif* consiste à raconter une seule fois ce qui s'est passé *n* fois. Fréquemment réalisé à l'imparfait et dans les sommaires, il constitue, dans le roman classique, l'arrière-plan conjonctif d'où se dégage l'intérêt dramatique des scènes singulatives. Ce passage de *Madame Gervaisais* (E. et J. de Goncourt) illustre ce mode :

«Le lendemain de cette grande journée de fatigue, Mme Gervaisais commençait une vie régulière, uniforme, une vie coupée de petites courses, de promenades qu'elle ne pressait pas.

Levée, habillée à huit heures et demie, pour jouir du matin, elle faisait une marche de près de deux heures, avant la chaleur et le feu du jour».

4. L'ordre

La question de l'ordre est fondamentale. Existe-t-il une homologie entre la succession «réelle» des événements de l'histoire et l'ordre dans lequel ils sont narrés ?

Si l'ordre chronologico-logique régit les récits simples comme les contes et contribue à faciliter la lecture, en fait il n'existe que peu de romans sans *anachronies* narratives (c'est-à-dire perturbations de l'ordre d'apparition des événements). Un des cas les plus courants est celui de l'entrée «in medias res» où, pour capter d'emblée l'intérêt du lecteur, on simule une entrée «au milieu» de l'action, quitte à donner les informations nécessaires pour tout comprendre, un peu plus tard, dans un flash-back explicatif.

Il existe deux grands types d'anachronies narratives. L'*anachronie par anticipation* (appelée *prolepse* ou *cataphore*) qui consiste à raconter ou à évoquer à l'avance un événement ultérieur. L'*anachronie par rétrospection* (appelée *analepse* ou *anaphore*, ou encore dans le cinéma «flash-back») qui consiste à raconter ou évoquer après coup un événement antérieur.

Dans les deux cas, elles peuvent être objectives (certaines) ou subjectives (incertaines) et elles se distinguent par leur *portée* (elles sont plus ou moins éloignées du moment de l'histoire où l'on se trouve) et par leur *amplitude* (elles couvrent une durée plus ou moins longue).

Souvent, les analepses ont une fonction explicative : elles éclairent ce qui a précédé, les antécédents d'un personnage, ce qu'il a fait depuis sa disparition (ainsi les récits de Cunégonde et de la vieille dans *Candide*, ch. VIII, XI et XII), elles comblent des lacunes du récit.

Dans tous les cas, ces maniements de l'ordre offrent une grande liberté au romancier. Celui-ci peut s'en servir comme d'une simulation de ce qui s'est passé «réellement», comme dans le prologue d'*Isabelle* de Gide où celui-ci dialogue avec F. Jammes et l'ami qui va raconter (Gérard Lacase) :

> «(G. Lacase) – Je vous raconterais volontiers le roman dont la maison que vous vîtes tantôt fut le théâtre, commença Gérard, mais outre que je ne sus le découvrir, ou le reconstituer, qu'en partie, je crains de ne pouvoir apporter quelque ordre dans mon récit qu'en dépouillant chaque événement de l'attrait énigmatique dont ma curiosité le revêtait naguère…
> - Apportez à votre récit tout le désordre qu'il vous plaira, reprit Jammes.
> (Gide) – Pourquoi chercher à recomposer les faits selon leur ordre chronologique, dis-je : que ne nous les présentez-vous comme vous les avez découverts ?»

Les jeux avec l'ordre peuvent aussi «mimer» les tribulations d'un parcours psychique au gré des réminiscences (histoires de vie liées à la psychanalyse) ou contester l'objectivité du réel et la chronologie du roman classique (le *Nouveau Roman*). Ils sont parfois liés à des conventions romanesques : dans le roman policier à énigme, il s'agit de reconstituer et de dire à la fin, ce qui s'est passé au début et qui a fait l'objet d'une dissimulation totale ou partielle.

Enfin, il ne faudrait pas croire que les variations chronologiques sont uniquement liées à des écrits qui furent ou qui sont d'avant-garde. Nombre de romanciers populaires ont manié des intrigues complexes avec des histoires multiples s'entre-croisant. Pour compenser les éventuelles difficultés de lecture, ils ont donc mis au point des stratégies de «rattrapage» par le biais d'interventions du narrateur :

> «Le lecteur nous excusera d'abandonner une de nos héroïnes dans une situation si critique, situation dont nous dirons plus tard le dénouement. Les exigences de ce récit multiple, malheureusement trop varié dans son unité, nous forcent de passer incessamment d'un personnage à un autre, afin de faire autant qu'il est en nous, marcher et progresser l'intérêt général de l'œuvre […]
> On se souvient que, la veille du jour où s'accomplissaient les événements que nous venons de raconter [l'enlèvement de la Goualeuse par la Chouette], Rodolphe avait sauvé Mme d'Harville d'un danger imminent, danger suscité par la jalousie de Sarah, qui avait prévenu M. d'Harville du rendez-vous si imprudemment accordé par la marquise à M. Charles Robert».

(E. Sue, *Les Mystères de Paris*, ch. XV).

L'ORDRE SELON G. GENETTE

«Étudier l'ordre temporel d'un récit, c'est confronter l'ordre de disposition des événements ou des segments temporels dans le discours narratif à l'ordre de succession de ces mêmes événements ou segments temporels dans l'histoire, en tant qu'il est explicitement indiqué par le récit lui-même, ou qu'on peut l'inférer de tel ou tel indice indirect. [...] lorsqu'un segment narratif commence par une indication telle que : «Trois mois plus tôt, etc», il faut tenir compte à la fois de ce que cette scène vient *après* dans le récit, et de ce qu'elle est censée être venue *avant* dans la diégèse [...]. Le repérage et la mesure de ces *anachronies* narratives [...] postulent implicitement l'existence d'une sorte de degré zéro qui serait un état de parfaite coïncidence temporelle entre récit et histoire.»

G. Genette (*Figures III*)

APPLICATIONS PRATIQUES

1. *Voici le titre des chapitres de* Lady fantôme *de W. Irish (Presses de la Cité, coll. Presses Pockett) avec leur correspondance approximative en nombre de pages. Quelles conclusions pouvez-vous en tirer quant au rythme, à l'ordre et au suspense ?*

1 - Le 150e jour avant l'exécution. Six heures du soir.	19 pages
2 - Le 149e jour avant l'exécution. A l'aube.	20 p.
3 - Le 91e jour avant l'exécution.	5 p.
4 - Le 90e jour avant l'exécution.	1/2 p.
5 - Le 87e jour avant l'exécution.	1 p.
6 - Le 21e jour avant l'exécution.	5 p. 1/2
7 - Le 18e jour avant l'exécution.	7 p. 1/2
8 - Le 17e et le 16e jours avant l'exécution.	4 p.
9 - Le 15e jour avant l'exécution.	4 p.
10 - Le 14e, le 13e et le 12e jours avant l'exécution. La demoiselle.	16 p.
11 - Le 11e jour avant l'exécution. Lombard.	9 p. 1/2
12 - Le 10e jour avant l'exécution. La demoiselle.	18 p. 1/2
13 - Le 9e jour avant l'exécution. Lombard.	16 p. 1/2
14 - Le 8e, le 7e et le 6e jours avant l'exécution.	3 p. 1/2
15 - Le 5e jour avant l'exécution.	13 p.
16 - Le 3e jour avant l'exécution.	4 p.
17 - Le jour de l'exécution.	7 p. 1/2
18 - L'heure de l'exécution.	13 p.
19 - Le lendemain de l'exécution.	20 p.

2. *Étudiez la table des matières des* Thibault *de* Roger Martin du Gard : *notamment les anachronies dans* La Sorellina, *le rythme et les ellipses dans* L'Été 1914.

3. *Étudiez dans cet extrait de Stendhal (* La Chartreuse de Parme, *Livre II, ch. XIV) l'ordre des événements dans la fiction et son rapport avec l'ordre dans la narration et le rythme.*

> «Pendant que Fabrice était à la chasse de l'amour dans un village voisin de Parme, le fiscal générale Rassi, qui ne le savait pas si près de lui, continuait à traiter son affaire comme s'il eût été un libéral : il feignit de ne pouvoir trouver, ou plutôt intimida les témoins à décharge ; et enfin, après un travail fort savant de près d'une année, et environ deux mois après le dernier retour de Fabrice à Bologne, un certain vendredi, la marquise Raversi, ivre de joie, dit publiquement dans son salon que, le lendemain, la sentence qui venait d'être rendue depuis une heure contre le petit del Dongo serait présentée à la signature du prince et approuvée par lui. Quelques minutes plus tard la duchesse sut ce propos de son ennemi.
>
> Il faut que le comte soit bien mal servi par ses agents ! se dit-elle ; encore ce matin il croyait que la sentence ne pouvait être rendue avant huit jours.»

LECTURES CONSEILLÉES

GENETTE Gérard,
Figures III, Paris, Seuil, 1972.
Nouveau discours du récit, Paris, Seuil, 1983, pp. 15-28.

PICARD Michel,
Lire le temps, Paris, Minuit, 1989.

RICARDOU Jean,
Nouveaux problèmes du roman, Paris, Seuil, 1978.

RICŒUR Paul,
Temps et Récit II. La configuration dans le récit de fiction, Paris, Seuil, 1984.

VUILLAUME Marcel,
Grammaire temporelle des récits, Paris, Minuit, 1990.

V. La mise-en-discours

Après la fiction et la narration, nous allons analyser dans ce chapitre la mise-en-discours, niveau plus immédiatement «visible» qui comprend l'organisation rhétorique et stylistique, les formes syntaxiques, les unités lexicales, etc. Ce niveau *concrétise* la fiction et la narration qui le déterminent, il leur donne corps. En même temps, il jouit d'une certaine autonomie, il a ses propres procédures, il produit des effets particuliers.

Ne pouvant étudier toutes ses composantes, dans le cadre d'un seul chapitre, nous nous en tiendrons à cinq éléments susceptibles de donner une idée de son importance : le jeu des temps, la progression thématique, la désignation et la co-référence, les choix rhétoriques, et les champs lexicaux et syntaxiques.

1. Le jeu des temps

Le maniement des temps verbaux dans les romans est plus complexe que la simple mise en œuvre de l'opposition récit/discours et plus «souple» que dans nombre d'écrits courants en raison de la variété des effets recherchés. Nous n'en prendrons ici que trois exemples.

«La mise en relief»

Dans le cas des récits au passé, l'opposition imparfait/passé-simple possède *une valeur, une fonction narrative*. En effet, au contraire de l'imparfait qui ne «borne» pas le procès indiqué par le verbe, le passé-simple le délimite, le clôt. Dès lors, le passé-simple est employé pour les événements principaux, ceux qui font progresser l'action, ceux sur lesquels on fait porter l'éclairage. Les verbes au passé-simple constituent en quelque sorte «le squelette de l'action», *son premier plan*, pour reprendre les termes de H. Weinrich. Ils se détachent de l'*arrière-plan*, constitué par les propositions comprenant un verbe à l'imparfait, qui aident à la compréhension mais ne font pas, à proprement parler, avancer l'histoire. On trouve surtout dans cet arrière-plan des circonstances accessoires, des indications sur le cadre et les personnages, des descriptions, des commentaires du narrateur. A la limite, dans certains passages, on pourrait presque retirer les propositions comprenant un verbe à l'imparfait, on garderait une «image globale» du sens du passage, de ce qui s'y passe. Ce ne serait pas le cas si l'on supprimait les propositions comprenant un verbe au passé-simple.

On peut vérifier ces fonctions narratives à la lecture de ce passage de la nouvelle «La Mère Noël» de Michel Tournier (dans *Le Coq de bruyère*, Gallimard, 1978). Une «guerre» entre cléricaux et radicaux divise le village de Pouldreuzic mais, cette année-là, la nouvelle institutrice Mme Oiselin innove en prêtant son bébé au curé pour la messe de Noël :

> «L'étonnement fut à son comble quand on apprit que Mme Oiselin prêtait son bébé au curé pour faire le petit Jésus de sa crèche vivante.
>
> Au début tout alla bien. Le petit Oiselin dormait à poings fermés quand les fidèles défilèrent devant la crèche, les yeux affûtés par la curiosité. Le bœuf et l'âne – un vrai âne – paraissaient attendris devant le bébé laïque si miraculeusement métamorphosé en Sauveur.
>
> Malheureusement il commença à s'agiter dès l'Evangile, et ses hurlements éclatèrent au moment où le curé montait en chaire. Jamais on n'avait entendu de voix de bébé aussi éclatante.»

Temps et effet narratif

Un des autres intérêts du passé-simple est d'inscrire nettement les actions dans une chaîne cause-conséquence, ce qui permet d'organiser le sens global des événements en cours. Le passé-simple, sans rapport direct avec le moment de l'énonciation, situe les événements les uns par rapport aux autres.

Cet aspect a été bien perçu par certains romanciers contemporains qui ont, au contraire, employé le passé-composé pour produire l'impression d'actes juxtaposés, morcelés, sans relation causale ou chronologique évidente. Ce procédé permet un «brouillage» du sens et de la psychologie ; il contribue à ce qu'on a appelé «le sentiment de l'absurde» dans certains romans, comme *L'Étranger* d'Albert Camus (1942) :

> «C'est alors que tout a vacillé. La mer a charrié un souffle épais et ardent. Il m'a semblé que le ciel s'ouvrait sur toute son étendue pour laisser pleuvoir du feu. Tout mon être s'est tendu et j'ai crispé ma main sur le révolver. La gâchette a cédé, j'ai touché le ventre poli de la crosse et c'est là, dans le bruit à la fois sec et assourdissant, que tout a commencé. J'ai secoué la sueur et le soleil. J'ai compris que j'avais détruit l'équilibre du jour, le silence exceptionnel d'une plage où j'avais été heureux. Alors, j'ai tiré encore quatre fois sur un corps inerte où les balles s'enfonçaient sans qu'il y parût.»

Usages particuliers des temps

Les romans ont encore introduit d'autres usages des temps, surprenants et rares dans les récits «courants», et qui, apparemment, contreviennent aux règles et à l'opposition récit/discours. Que l'on en juge par les deux exemples suivants, cités par M. Vuillaume, dans lesquels nous avons souligné les passages qui posent problème :

> «Mathilde avait de l'humeur contre le jardin, ou du moins, il lui semblait parfaitement ennuyeux : il était lié au souvenir de Julien. Le malheur diminue l'esprit. Notre héros eut la gaucherie de s'arrêter auprès de cette petite chaise de paille, qui jadis avait été le témoin de triomphes si brillants. *Aujourd'hui* personne ne lui *adressa* la parole ; sa présence était comme inaperçue et pire encore.»

(Stendhal, *Le Rouge et le Noir*)

> «Gonzague était absent [...] Outre le siège qui l'attendait, il y avait trois autres sièges vides. D'abord celui du Doña Cruz [...]. Le second siège vide n'avait pas encore été occupé. Le troisième appartenait au bossu Esope II, dit Jonas, que Chaverny venait de battre en combat singulier, à coups de verres de champagne.
> *Au moment où nous entrons, Chaverny*, abusant de sa victoire, *entassait* des manteaux, des douillettes, des mantes de femmes sur le corps de ce malheureux bossu [...]»

(P. Féval, *Le bossu*)

Dans les deux cas, il existe une sorte d'incompatibilité entre deux séries temporelles, présente et passée, qui sont pourtant réunies par le texte. Or ce procédé est relativement fréquent, notamment dans les romans-feuilletons, mais aussi dans nombre de romans historiques. Le lecteur a l'impression de prendre connaissance d'un fait passé et, en même temps, d'en être le témoin au moment où il a lieu. Cela donne une véracité aux événements et les rend «vivants». Cette technique consiste à inscrire dans le texte, les temps de l'écriture et de la lecture, à faire comme si les événements situés dans leur époque étaient en même temps susceptibles d'être actuels dans la lecture pour chaque lecteur, qui se trouve – par une sorte de *métalepse* – placé comme témoin dans l'univers de la fiction...

2. La progression thématique

La mise-en-discours permet aussi au romancier de ménager une *progression de l'information*. Les «grammairiens du texte» ont proposé d'envisager cette progression comme le résultat d'un procès qui articule *le thème* (ce qui est supposé connu, ce qui a été posé) et le *rhème* (ou *propos*) : l'information «nouvelle», complémentaire, apportée par la suite de l'énoncé. Le texte progresse en dosant soigneusement la *répétition*, nécessaire pour fixer et mémoriser les informations, et la *nouveauté*, nécessaire pour faire avancer l'histoire, éviter qu'elle ne donne l'impression de piétiner ou de rabâcher... Cette direction de recherche est très prometteuse et a permis d'envisager autrement diverses questions : l'ordre des mots, l'implicite, les types de progression... C'est sur ce dernier point que nous allons nous arrêter un moment.

Il semble bien que tout récit progresse en alternant, selon les passages, trois types de *progression thématique*. La première, la *progression à thème constant*, est la plus simple et très courante, même si elle n'échappe pas à une certaine monotonie. Elle consiste à reprendre toujours le même thème comme base de ses énoncés, ce qui est fréquent aussi bien dans la narration d'événements que dans les descriptions, comme on peut le voir à propos du *ciel* que contemple Madame Gervaisais (E. et J. de Goncourt, *Madame Gervaisais* :

> «Elle sortit de son lit, heureuse de ce réveil nouveau dans le plaisir de vivre, auquel les maussades matins de Paris habituent si peu les

existences parisiennes ; et, jetant un peignoir sur ses épaules, ouvrant la fenêtre toute grande, elle se mit à contempler le ciel d'un beau jour de Rome : un ciel bleu où elle crut voir la promesse d'un éternel beau temps ; un ciel bleu, de ce bleu léger, doux et laiteux, que donne la gouache à un ciel d'aquarelle ; un ciel immensément bleu, sans nuage, sans un flocon, sans une tache ; un ciel profond transparent, et qui montait comme de l'azur à l'éther ; un ciel qui avait la clarté cristalline des cieux qui regardent de l'eau, la limpidité de l'infini flottant sur une mer du Midi ; ce ciel romain auquel le voisinage de la Méditerranée et toutes les causes inconnues de la félicité d'un ciel font garder, toute la journée, la jeunesse, la fraîcheur et l'éveil de son matin».

Le second type de progression, *la progression à thèmes dérivés*, est une variante du premier. Souvent lié aux descriptions ou à la saisie successive des éléments d'un ensemble ou d'un groupe, il consiste à partir d'un thème global (un *hyper-thème*) qu'il décompose en sous-thèmes abordés successivement. Ainsi, au début de *Candide*, Voltaire présente les pensionnaires du château (hyper-thème) successivement, chacun d'entre eux (sous-thème) faisant l'objet d'un développement : Candide, Monsieur le Baron, Madame la Baronne, Cunégonde, Pangloss…

Le troisième type de progression est plus difficile à maintenir sur une longue durée car il risque de faire perdre «le fil du discours», son unité. Il s'agit de la *progression à thème linéaire* qui consiste à poser en thème de l'énoncé suivant, le rhème de l'énoncé précédent. Elle procède ainsi par «chaîne», comme dans cet extrait de *L'Amant* de M. Duras (Minuit, 1984), où le rhème *robes* devient le thème, puis celui-ci introduit le rhème *Dô*, qui à son tour devient thème…

«Je suis longtemps sans avoir de robes à moi. Mes robes sont des sortes de sac, elles sont faites dans d'anciennes robes de ma mère qui sont elles-mêmes des sortes de sac. Mises à part celles que ma mère me fait faire par Dô. C'est la gouvernante qui ne quittera jamais ma mère même lorsqu'elle rentrera en France (…)».

En fait, les romans alternent et imbriquent les trois types de progression. Il est intéressant de s'en servir pour analyser un passage précis, pour repérer les constantes d'un auteur ou les anomalies sémantiques produites par des ruptures dans la progression, qu'elles soient volontaires (récits «comiques», écrits surréalistes…) ou involontaires (récits d'enfants, faits-divers…).

D'un autre point de vue, cela permet de confirmer la place essentielle du personnage principal qui est, en quelque sorte, l'hyperthème du roman. Tous les énoncés, toutes les informations, composent son histoire, son être et son devenir.

Si l'on étend alors la notion de progression thématique à l'échelle des récits entiers, on peut s'apercevoir qu'ils se servent surtout de la progression à thème constant : l'histoire avance en référence à un personnage qui en est le fil directeur. D'autres, moins nombreux, utilisent la progression à thèmes dérivés. C'est le cas, par exemple, de *Quai des brumes* de Pierre Mac Orlan (1927) qui réunit dans les six premiers chapitres un groupe de personnages avant qu'ils ne se séparent. Les sept chapitres suivants les mettront alternativement en scène. Le cas de la progression à thème linéaire est beaucoup plus rare. On en trouvera un exemple dans la pièce de Schnitzler, *La Ronde*, qui «accouple» deux personnages à chaque scène, le second s'unissant à un nouveau venu dans la scène suivante.

3. Désignation et co-référence

Un autre aspect de l'analyse de la mise-en-discours va concerner la description des unités qui constituent le personnage et l'étude de leur organisation. En effet, le personnage s'incarne et se construit très concrètement dans des unités linguistiques qui le désignent : les *désignateurs*. Ceux-ci peuvent prendre la forme de noms, de pronoms ou de groupes nominaux (le frère de Paul, l'homme aux moustaches...). Le même personnage se réalise donc par des désignateurs multiples qui réfèrent à lui ; en ce sens, ils sont *co-référents*.

A partir de ces données très simples, il est possible d'étudier nombre de phénomènes. En premier lieu, les causes des variations des désignateurs. Celles-ci sont tributaires de la place et des informations données : ainsi on pourra avoir une évolution «classique» du type : «un homme», «l'homme», «Pierre» en fonction de l'apport des connaissances au début d'un roman. Ces variations sont aussi déterminées par l'opposition récit/discours : si le narrateur ou d'autres personnages parlent de Pierre, ils utiliseront le «il» ; si Pierre a la parole dans un dialogue, il utilisera le «Je». Ces variations tiennent encore à des changements dans la fiction (Mademoiselle X peut devenir Madame Y...) ou à des valeurs investies par le narrateur ou d'autres personnages : selon les cas, Pierre peut être désigné par «notre héros», «ce sinistre individu», «cette crapule» ou «mon amour»...

L'ordre de ces désignateurs est tout aussi important. Le romancier peut jouer d'une valeur cataphorique (par exemple au début du récit, le «il» d'un personnage, non encore connu du lecteur) ou de la valeur anaphorique (le «il» reprend un personnage connu). L'un des *topoï* les plus fréquents du roman était celui du «faux inconnu» : au cours de l'histoire, on présentait un individu comme s'il était nouveau et, le narrateur n'indiquait que plus tard, pour ménager un effet de surprise, que c'était en fait le personnage X bien connu du lecteur.

A partir de ces données de base, nombre de combinaisons sont possibles. Ainsi, dans *Les Misérables*, Victor Hugo complique le topos du faux-inconnu. Il nous décrit Monsieur Madeleine (Partie I, Livre V, ch. 2) comme s'il s'agissait d'un nouveau personnage. Puis, il laisse entendre par la voix menaçante de Javert, qu'il pourrait bien s'agir de Jean Valjean (Livre V, ch. 6) avant que Monsieur Madeleine ne confirme cela lui-même, par un coup de théâtre, au cours d'un procès où un autre était accusé d'être Jean Valjean (Livre VII, ch. 11).

Nombre de romanciers, dans les histoires d'aventures, dans les récits policiers ou d'espionnage, ont utilisé les désignateurs pour «brouiller» les pistes : soit un même personnage était camouflé sous une autre identité, soit un même personnage souffrait de dédoublement de la personnalité.

Au cours du XXe siècle, en liaison avec la mise en cause du personnage, nombre de procédés ont été mis en œuvre pour déstabiliser son identité : l'utilisation d'une simple initiale pour le désigner (voir K. dans *Le procès* de Kafka), un même nom pour plusieurs personnages différents ou des noms différents pour un même personnage (cas du *Nouveau Roman* ; ainsi reprenant un procédé de Faulkner dans *Le Bruit et la Fureur* qui a donné le même prénom, Quentin, à l'oncle et la nièce, Claude Simon appelle 0, tantôt un homme, tantôt une femme, dans *La Bataille de Pharsale*, ou encore la réduction des personnages à des indicateurs pronominaux (voir les romanciers du groupe *Tel Quel* : J. Thibaudeau, J.L. Baudry ou Ph. Sollers…).

Cela peut aller jusqu'à des prouesses techniques : Anne Garetta, dans *Sphinx* (Grasset, 1986) raconte une histoire d'amour entre un narrateur – jamais nommé – et un personnage désigné par «A^{+++}» sans que l'on connaisse, jusqu'à la fin du roman, le sexe des protagonistes.

Cela peut aussi servir des jeux humoristiques. Ainsi, dans ses *Pensées*, P. Dac a bien vu tout le parti qu'il pouvait tirer des désignateurs constitués par des groupes nominaux :

> «Une femme mariée à un homme qui la trompe avec la femme de
> son amant, laquelle trompe son mari avec le sien et qui en est réduite
> à tromper son amant avec celui de sa femme parce que son amant
> est son mari et que la femme de son époux est la maîtresse d'un
> homme déshonoré par l'amant et une femme dont le mari trompe sa
> maîtresse avec la femme de son amant ne sait plus où elle en est ni
> ce qu'elle doit faire pour ne pas compliquer encore une situation qui
> l'est déjà suffisamment comme ça.»

De son côté, D. Pennac, dans *La petite marchande de prose*
(Gallimard, 1989), tire des effets ponctuels de ruptures dans les
désignateurs :

> «Epinglé à son uniforme, le brevet de parachutiste du comman-
> dant m'envoie un éclair vexé.
> - Je suis son frère, dis-je, son frère aîné.
> La tête du commandant fait signe qu'elle a pigé.»

Mais, fondamentalement, le choix et l'organisation des
désignateurs on un rôle essentiel dans l'encodage de l'idéologie
d'un texte. Il suffit pour s'en persuader de lire les faits-divers dans
les journaux ; appeler une personne «le suspect», «le coupable»,
«Monsieur X», «l'homme», «cet individu», «un homme de type
méditerranéen», «un arabe», implique des positions de l'auteur et
des effets visés chez le lecteur bien différents...

4. Choix rhétoriques et stylistiques

La rhétorique et la stylistique ne font plus l'objet d'un apprentis-
sage systématique dans l'enseignement secondaire et les écrivains
ne considèrent plus l'emploi des figures comme une marque distinc-
tive. Certains revendiquent même une écriture «neutre» sans effets,
sans «artifices». Il existe là une différence importante entre auteurs
contemporains et auteurs des siècles précédents pour qui la rhétorique était une composante fondamentale et consciente de leur activité d'écriture.

Cela n'empêche nullement que ces figures et formes ne se manifestent encore dans les romans actuels, caractérisant le style d'un
auteur ou l'organisation d'un passage, structurant la mise-en-discours.

Certains écrivains ont même pu, de façon ludique, afficher l'usage

de la rhétorique comme le soubassement de tel ou tel ouvrage. C'est
le cas de R. Queneau avec ses *Exercices de style* (1947) qui propose
le même récit avec de multiples variations ; c'est aussi le cas de G.
Perec, dans *Quel petit vélo à guidon chromé au fond de la cour ?*
(Denoël, 1966) qui intègre dans sa narration nombre de figures,
qu'il récapitule dans un index.

On peut cependant remarquer la disparition d'une tendance à
l'hyperbole, fréquente dans les textes du moyen-âge au XVIIIᵉ
siècle, de même que l'effacement du sentiment d'une «surcharge»
chez certains auteurs du XIXᵉ siècle. Que l'on en juge, par les deux
extraits suivants :

> «Si jamais j'ai décrit la beauté que Dieu a mise en corps ou en
> visage de femme, je veux m'y essayer une autre fois et ne pas mentir
> d'un mot. Ses cheveux flottaient sur ses épaules, et qui les eût vus
> eût bien cru qu'ils fussent d'or fin, tant le blond en était lustré et
> chatoyant, le front blanc, haut, uni, comme taillé dans le marbre,
> l'ivoire ou un bois précieux, les sourcils brunets, un large entr'œil,
> les yeux vairs, bien fendus, riants et clairs, le nez droit et franc ; et
> en son visage le vermeil assis sur le blanc lui seyait mieux que
> sinople sur argent. Pour ravir le sens et le cœur des gens, Dieu avait
> fait d'elle la merveille des merveilles. Jamais encore il n'en avait
> créé de semblable ; plus jamais il n'en devait créer.»

> (Chrétien de Troyes, *Perceval Le Gallois*, traduction de Lucien
> Foulet).

> «La nuit descendait ; les roseaux agitaient leurs champs de
> quenouilles et de glaives, parmi lesquels la caravane emplumée,
> poules d'eau, sarcelles, martins-pêcheurs, bécassines se taisaient ;
> le lac battait ses bords ; les grandes voix de l'automne sortaient des
> marais et des bois ; j'échouais mon bateau au rivage et retournais au
> château. Dix heures sonnaient. A peine retiré dans ma chambre,
> ouvrant mes fenêtres, fixant mes regards au ciel, je commençais une
> incantation. Je montais avec ma magicienne sur les nuages : roulé
> dans ses cheveux et dans ses voiles, j'allais au gré des tempêtes,
> agiter la cime des forêts, ébranler le sommet des montages, ou
> tourbillonner sur les mers. Plongeant dans l'espace, descendant du
> trône de Dieu aux portes de l'abîme, les mondes étaient livrés à la
> puissance de mes amours.»

> (Chateaubriand, *Mémoires d'outre-tombe*)

Il n'est évidemment pas question d'étudier ici toutes les figures et
les effets de sens qu'elles peuvent générer. Nous nous arrêterons
seulement sur la distinction métaphore-métonymie dans la mesure
où ces figures sont particulièrement fréquentes ; dans la mesure

aussi où certains – à la suite de R. Jakobson – ont postulé que cette opposition était au fondement des différences entre poésie (plus «imagée») et prose, voire entre réalisme (utilisant majoritairement les relations de contiguïté, les glissements entre cadre et personnages, etc.) et les autres courants romanesques.

MÉTAPHORE ET MÉTONYMIE

«Dans la métaphore, le transport de sens se fait par le moyen d'une ressemblance. Dans la métonymie le transport utilise la voie d'une relation et il y a autant de variétés de métonymies qu'il y a de types de relations.

Si l'on dit d'un malfaiteur qu'il s'est présenté «un calibre à la main» on se sert d'une métonymie caractérisée. Les pistolets étant connus par le calibre de leur canon, substituer *calibre* à *pistolet* constitue le trope.»

(H. Suhamy, *Les Figures de style*)

S'il est vrai que la métonymie «travaille» l'écriture réaliste, il est aussi vrai que son utilisation déborde ce courant, tant certaines relations – entre décor et personnage, par exemple – semblent appartenir *nécessairement* à la construction d'une illusion réaliste. D'un autre côté, les «réalistes» n'échappent ni aux comparaisons, ni aux métaphores ; que l'on pense à *La Bête humaine*, entre autres.

Il nous paraît donc préférable d'étudier sans *a priori* les tendances à l'œuvre chez tel auteur et surtout les effets recherchés par telle figure dans tel passage, de voir aussi comment certains «modernes» peuvent jouer avec des procédés traditionnels. Ainsi, P. Deville, dans *Cordon bleu* (Minuit, 1987) développe une comparaison qu'il va ensuite prendre au pied de la lettre :

«Je jetais ensuite quelque autre objet sur quelque autre mur : tube de colle, ciseaux, brosse à habits, cendrier, contenu des tiroirs et tiroirs. […] Dès que l'objet avait quitté ma main, Madame Jeannet s'élançait à sa poursuite avec l'agilité d'une otarie. Elle le ramenait vers le bureau en le faisant sauter deux ou trois fois sur l'extrémité de son museau. Puis elle restait immobile, les nageoires repliées derrière le dos et souriant (…).»

On peut aussi évoquer B. Vian qui créé un univers singulier en détournant des clichés comparatifs ou en multipliant les personnifications :

«Son peigne d'ambre divisa la masse soyeuse en longs filets orange pareils aux sillons que le gai laboureur trace à l'aide d'une fourchette dans de la confiture d'abricot.»

«Quelques comédons saillaient aux alentours des ailes du nez. En se voyant si laids dans le miroir grossissant, ils rentrèrent prestement sous la peau (…)».

(*L'écume des jours*, Pauvert, 1953)

5. Champs lexicaux et champs sémantiques

L'étude des champs lexicaux et des champs sémantiques est un des moyens de prendre en compte le lexique et de saisir la production du sens dans un roman.

Le *champ sémantique* est l'ensemble des sens qu'un terme prend dans un texte donné. On l'analyse en relevant systématiquement ses occurrences et leur contexte, les mots auxquels il est associé ou opposé. Cela permet bien souvent de dégager l'imaginaire d'un récit et aussi ses positions idéologiques. Ainsi le champ sémantique de mots comme «église» ou «révolutionnaire» risque d'être différent selon les auteurs et leur engagement.

Le *champ lexical* est constitué par l'ensemble des mots utilisés dans un texte pour caractériser une notion, un objet, une personne. On peut par exemple étudier le champ lexical de la passion, de l'amitié ou de la politique dans un roman. Complémentairement, les champs lexicaux dominants dans un ouvrage en définissent les lignes directrices. D'un point de vue historique, il est intéressant d'observer comment des champs lexicaux se transforment ou apparaissent en lien avec les changements de mentalité (l'amour) ou les progrès techniques (les transports).

L'utilisation de ces deux démarches complémentaires, permet de préciser des impressions – notamment sur la tonalité ou l'atmosphère d'un roman – et de fonder une analyse des *thèmes*. L'approche thématologique, est traditionnellement plus centrée sur les éléments substituables dans des réseaux sémantiques, abstraction faite de leur évolution dans la progression du récit. Elle travaille sur l'axe paradigmatique. Elle peut, en fait, se combiner avec l'analyse narratologique qui, sur l'axe du syntagme, va étudier comment ces «contenus» apparaissent et se modifient dans le cours de l'action.

Les deux extraits suivants de *Thérèse Desqueyroux* (F. Mauriac, 1927) mettent en place, au travers de la description de deux lieux de la vie de Thérèse (le début de la vie, Argeloux et l'arrivée, Paris) des thèmes qui structurent le livre et manifestent les tensions du personnage :

> «Argeloux est réellement une extrémité de la terre ; un de ces lieux au-delà desquels il est impossible d'avancer, ce qu'on appelle ici un quartier : quelques métairies sans église, ni mairie, ni cimetière, disséminés autour d'un champ de seigle, à dix kilomètres du bourg de Saint-Clair, auquel les relie une seule route défoncée. Ce chemin plein d'ornières et de trous se mue, au-delà d'Argeloux, en sentiers sablonneux ; et jusqu'à l'Océan il n'y a plus rien que quatre-vingts kilomètres de marécages, de lagunes, de pins grêles, de landes où à la fin de l'hiver les brebis ont la couleur de la cendre.»

> «Un agent à cheval approchait un sifflet de ses lèvres, ouvrait d'invisibles écluses, une armée de piétons se hâtait de traverser la chaussée noire avant que l'ait recouverte la vague des taxis […]. Elle contempla le fleuve humain, cette masse vivante qui allait s'ouvrir sous son corps, la rouler, l'entraîner […]».

On remarquera, dans le premier extrait, les champs lexicaux de la *clôture*, du *statique*, de la *terre*, de l'*absence*.

En revanche dans le second extrait, dominent les champs lexicaux de l'*ouverture*, de l'*eau*, du *mouvement* et du *plein*.

APPLICATIONS PRATIQUES

1. *Dans l'extrait suivant (Théophile Gautier,* Le Capitaine Fracasse, *1863), vous analyserez les fonctions des propositions contenant un verbe à l'imparfait et vous tenterez de les supprimer. Puis vous ferez de même pour les propositions contenant un verbe au passé-simple.*

> «L'appartement d'Yolande, voisin de celui de la marquise, donnait sur le parc, et comme, après que ses femmes l'eurent défaite, la belle jeune fille regardait distraitement à travers la croisée la lune briller au-dessus des grands arbres, elle aperçut sur la terrasse Isabelle et Sigognac, qui se promenaient sans autre accompagnement que leur ombre.
> Certes, la dédaigneuse Yolande, fière comme une déesse qu'elle était, n'avait que mépris pour le baron Sigognac, devant qui parfois à la chasse elle passait comme un éblouissement dans un tourbillon de lumière et de bruit, et que dernièrement même elle avait presque insulté ; mais cela lui déplut de le voir sous sa fenêtre, près d'une jeune femme à laquelle sans doute il parlait d'amour. Elle n'admettait pas qu'on pût ainsi secouer son servage. On devait mourir silencieusement pour elle. Elle se coucha d'assez mauvaise

humeur et eut quelque peine à s'endormir ; ce groupe amoureux poursuivait son imagination.»

2. *Analysez le jeu des progressions thématiques dans ce passage de* L'Exil d'Hortense *(J. Roubaud, Seghers, 1990). Quel effet produit la rupture de la parenthèse ?*

«Trois individus venaient d'entrer dans le café. L'un d'eux, celui qui était entré le premier, était le chef de ce trio d'individus : il était vêtu d'un costume princier, mais *bleu*, ce qui dès l'abord, pour un observateur exercé des choses poldèves, disait bien la traîtrise inscrite dans son cœur ; il était Prince, en effet, hélas ! Ses deux acolytes, deux jeunes hommes au poil court dont la beauté accentuait l'infamie intrinsèque et inhérente à leur tunique, bleue également, l'entouraient et surveillaient les alentours, la main crispée sur la gâchette de leurs pistolets à eau (la Poldévie ignore les armes à feu ; elle connaît surtout les armes à eau : pistolets et bombes à eau ; canons antigrêle ; parfois aussi les boules puantes).»

3. *Voici le début d'une nouvelle de Guy de Maupassant, «Le petit fût» (dans le recueil* Les Sœurs Rondoli). *Relevez les désignateurs des deux personnages. Comment expliquez-vous leurs variations ?*

«Maître Chicot, l'aubergiste d'Epreville, arrêta son tilbury devant la ferme de la mère Magloire. C'était un grand gaillard de quarante ans, rouge et ventru, et qui passait pour être malicieux.
Il attacha son cheval au poteau de la barrière, puis il pénétra dans la cour. Il possédait un bien attenant aux terres de la vieille, qu'il convoitait depuis longtemps. Vingt fois il avait essayé de les acheter, mais la mère Magloire s'y refusait avec obstination.
«J'y siens née, j'y mourrai», disait-elle. Il la trouva épluchant des pommes de terre devant sa porte. [...] Chicot lui tapa dans le dos avec amitié, puis s'assit près d'elle sur un escabeau.
«Eh bien, la mère, et c'te santé, toujours bonne ?
- Pas trop mal, et vous maît'Prosper ?»»

4. *La description suivante provient d'une nouvelle de W. Irish, intitulée «Le baiser du cobra». Il s'agit de la nouvelle épouse qu'un père ramène chez lui. Quelle figure est à la base de cette description ? Peut-on en déduire la suite de l'intrigue ?*

«C'est plutôt le genre liane, toute en sinuosité ; et elle possède un certain magnétisme – impossible de détacher d'elle mon regard. Elle est habillée à l'occidentale mais elle a les yeux en amande, les yeux d'une Orientale. Elle ne marche pas comme les femmes de chez nous, on dirait que son corps tout entier se contorsionne – elle ondule, voilà !
Elle fume une cigarette russe de vingt-cinq centimètres et quand je touche sa main, j'ai la sensation que quelque chose de froid me glisse entre les doigts, comme une anguille.»

5. *La métonymie, dans le cas où elle caractérise un personnage par le lieu qu'il habite, peut avoir une fonction présentative figée («Il est comme cela») où une fonction d'exposition d'une étape dans le trajet psychologique d'un personnage. Voici deux exemples : vous essaierez d'en relever d'autres dans des romans du XIXᵉ et du XXᵉ siècle.*

«Louis Buisson habitait au cinquième étage, quai du Louvre, une petite chambre carrée. On y voyait un lit de fer avec quatre boules de cuivre, une bibliothèque en bois léger, une commode-toilette, une table recouverte d'un tapis rouge, une chaise et deux «fauteuils arméniens» qui avaient coûté douze francs au bazar de l'Hôtel-de-Ville. Un tapis de linoléum recouvrait le plancher, deux affiches et quelques gravures ornaient les murs. C'était la chambre bien rangée d'un garçon qui fait sa chambre lui-même et la revêt simplement, à l'image de son esprit.»

(Charles-Louis Philippe, *Bubu de Montparnasse*).

«Il n'y avait plus de sensation plastique pour Madame Gervaisais. Elle vivait dans une chambre nue, dans le vide démeublé où vivent les personnes pieuses, pour qui l'entour des objets ne paraît plus être dans l'appartement devenu, aux yeux de la vraie chrétienne, une auberge pour son corps d'un jour.»

(E. et J. de Goncourt, *Madame Gervaisais*)

6. *Analysez les champs lexicaux qui apparaissent dans le portrait de celui qui va remettre la peau de chagrin à Raphaël (Balzac,* La Peau de chagrin*). Quel effet cela peut-il engendrer quant à la suite du roman ?*

«Figurez-vous un petit vieillard sec et maigre, vêtu d'une robe en velours noir, serrée autour de ses reins par un gros cordon de soie. Sur sa tête, une calotte en velours également noir laissait passer, de chaque côté de la figure, les longues mèches de ses cheveux blancs et s'appliquait sur le crâne de manière à rigidement encadrer le front. La robe ensevelissait le corps dans un vaste linceul, et ne permettait de voir d'autre forme humaine, qu'un visage étroit et pâle. Sans le bras décharné, qui ressemblait à un bâton sur lequel on aurait posé une étoffe et que le vieillard tenait en l'air pour faire porter sur le jeune homme toute la clarté de la lampe, ce visage aurait paru suspendu dans les airs.»

LECTURES CONSEILLÉES

1. *Le jeu des temps*

MAINGUENEAU Dominique,
Éléments de linguistique pour le texte littéraire, Paris, Bordas, 1986, (ch. 3, pp. 53-58).

VUILLAUME Marcel,
Grammaire temporelle des récits, Paris, Minuit, 1990.

WEINRICH Harald,
Le temps, Paris, Seuil, 1973.

2. *La progression thématique*

COMBETTES Bernard,
Pour une grammaire textuelle, Bruxelles, Paris - Gembloux, De Boeck
Duculot, 1983.

REICHLER-BÉGUELIN Marie-José,
Écrire en français, Neufchâtel, Delachaux et Niestlé, 1988, Ch. VI, pp.
125-155.

3. *Personnages et co-référence*

CORBLIN François,
«Les désignateurs dans les romans», *Poétique n° 54*, avril 1983.

KLEIBER Georges,
«Dénomination et relations dénominatives», *Langages n° 76*, 1984

MASSERON Caroline et SCHNEDECKER Catherine,
«Le mode de désignation des personnages», *Pratiques n° 60, Le personnage*, décembre 1988.

NICOLE Eugène,
«L'onomastique littéraire», *Poétique n° 54*, avril 1983.

4. *Choix rhétoriques et stylistiques*
Communications n° 16, *Recherches rhétoriques*, 1970.

DUPRIEZ Bernard,
Gradus, Paris, UGE, 1980, 10/18.

JAKOBSON Roman,
Essais de linguistique générale, Reed. Seuil, Coll. Points.

GROUPE μ,
Rhétorique générale, Paris, Larousse, 1970.

SUHAMY Henri,
Les Figures de style, Paris, PUF, 1981 «Que sais-je ?».

5. *Champs lexicaux et champs sémantiques*

GENOUVRIER Émile et PEYTARD Jean,
Linguistique et enseignement du français, Paris, Larousse, 1970, pp. 206-
221.

MITTERAND Henri,
«Corrélations lexicales et organisation du récit, le vocabulaire du visage
dans *Thérèse Raquin*», dans *Linguistique et littérature*, Colloque de Cluny,
1968, *La Nouvelle Critique*, numéro spécial.

VI. L'hétérogénéité du roman
L'exemple de la description

1. La notion d'hétérogénéité

Le roman est un genre potéiforme, susceptible de prendre des aspects très variés. Cela signifie, entre autres, qu'il est structuré de façon complexe par des tensions entre son organisation spécifique, ses visées et diverses séquences qu'il intègre.

Son organisation spécifique est la super-structure narrative (en cinq étapes) que nous avons étudiée précédemment. Le roman appartient sans conteste à la classe narrative, aux récits.

Mais il est susceptible d'être «travaillé» de manière explicite ou implicite, par d'autres super-structures, appartenant à d'autres types d'écrits : l'explicatif (qui pose une question et résoud ce «mystère cognitif»), l'argumentatif (qui argumente une thèse en opposition à une autre pour modifier les convictions du lecteur), l'injonctif (qui tend à dicter une attitude, un comportement), le dialogal (qui procède par questions-réponses ou assertions-contre-assertions), le poétique, le descriptif, etc…

Cela entraîne deux questions. La première concerne la «visée» globale du texte, ses enjeux, au-delà de la dimension strictement narrative. La seconde concerne sa composition interne ; comment il organise et alterne en son sein les différents types, comment il combine des séquences hétérogènes.

Les visées du texte

Il est évident que les romans ne font pas que raconter une histoire. Au travers de cette histoire, ils informent, expliquent et argumentent.

La dimension informative-explicative est à l'œuvre dans tout récit puisque celui-ci est obligé de construire une fiction, un univers. Néanmoins elle peut devenir considérable dans certains cas, celui de la science-fiction, par exemple, qui propose souvent des mondes très différents du nôtre. Dans certaines œuvres de ce genre, l'intérêt principal réside dans les lois spécifiques qui régissent ces univers. Au XIXe siècle, le roman a aussi connu un développement parfois hypertrophique de cette dimension. Les auteurs voulaient instruire leurs lecteurs, ils se considéraient, en partie, comme des savants ou des maîtres d'école. On peut penser ici à des passages, voire à des chapitres entiers explicatifs comme chez J. Verne, V. Hugo ou E. Sue. Le roman du XXe siècle a tendance à se méfier de cette dimension *didactique* qui ralentit l'histoire et prétend apporter un corps de savoirs «sûrs». Il n'en demeure pas moins vrai que tout roman a besoin d'expliquer, surtout lorsqu'il aborde des domaines supposés peu connus du lectorat. Le problème technique sera alors de savoir comment les intégrer dans le texte (dans le discours du narrateur, dans les dialogues entre les personnages, dans les descriptions…) pour que cela ne paraisse pas «plaqué», et ne freine pas l'action.

Cette évolution ne doit cependant pas faire oublier qu'il a existé des genres ou des œuvres résolument explicatives dans le passé : récits «étiologiques» (par exemple, les mythes qui expliquent la naissance de l'univers), récits paraboliques de la Bible, romans participant à l'instruction et à l'éducation des élèves (G. Bruno : *Le Tour de la France par deux enfants*, 1877). Il est alors intéressant d'étudier comme les péripéties narratives sont déterminées par le savoir et les explications à communiquer…

La visée argumentative fonde aussi nombre de récits (les fables, les contes, les contes philosophiques…) et de romans, allant dans certains cas jusqu'aux romans à thèse et aux romans politiques (par exemple : le réalisme socialiste).

Susan Suleiman, qui a étudié les romans à thèse, a montré qu'ils s'organisaient à partir de trois niveaux : narratif (la présentation de l'histoire), interprétatif (le sens dégagé de l'histoire) et pragmatique (la règle d'action, l'injonction dégagée du sens). Le problème est là encore l'inféodation de l'histoire à la thèse, d'autant plus si le système de valeurs proposées est univoque et doctrinal. On a alors l'impression d'être en face d'une «leçon politique», d'une imposition «monologique» qui risque de vieillir très rapidement.

Le roman contemporain – après sa période de «politisation» et après les existentialistes – se méfie de plus en plus de cette tendance. Cela n'empêche pas des œuvres intéressantes, suscitées par l'actualité politique. Ainsi, Heinrich Böll, pour dénoncer le rôle de la presse à scandale au moment du terrorisme en Allemagne, a écrit *L'Honneur perdu de Katharina Blum* (1974) dont le sous-titre est «Comment peut naître la violence et où elle peut conduire». Il est bon aussi de rappeler que, dans les pays de dictature, le roman peut contester – de manière indirecte – le pouvoir qui réduit les autres formes d'expression.

Plus généralement, on peut penser qu'aucun roman n'échappe à la dimension argumentative dans la mesure où il propose une «vision du monde» spécifique, où il conteste ou non l'ordre établi. Il convient alors, méthodologiquement, de repérer *dans le texte*, où et comment elle se marque : par l'intrigue, sa fin («happy-end» ou non...), les personnages, leurs discours, le discours du narrateur, etc...

Les différents types de séquences

Toutes les dimensions que nous venons d'évoquer peuvent être intégrées dans le roman qui peut alterner : narration d'événements, dialogue, description, argumentation, explication... et même «coller» des documents extérieurs comme faits-divers, enseignes, lettres, rapports réels ou fictifs (voir Aragon, *Le Paysan de Paris*, 1926). En ce sens, tout roman est hétérogène et «poly-séquentiel».

Méthodologiquement, il convient d'étudier quels types de séquences sont présentes, à quelle place et comment elles sont intégrées dans l'histoire.

Ainsi, pour capter l'intérêt du lecteur, les romans commencent souvent par des actions, quitte à apporter le savoir nécessaire pour comprendre l'histoire, par une analepse explicative. Ou encore, une des règles du roman à énigme a longtemps été de présenter la solution, dans le chapitre final, par une scène de dialogue, à vocation explicative, en présence de tous les protagonistes.

Mais l'absence de certaines séquences est tout aussi importante à constater. Ainsi *Les Mémoires d'Hadrien* de Marguerite Yourcenar (1951) ne comportent aucune ligne de dialogue, de même *Un homme qui dort* (1967), de G. Perec, ce qui souligne l'isolement du personnage principal.

A l'inverse, certains types de séquences peuvent devenir dominants au point de soumettre l'histoire à leur logique : c'est le cas du *Neveu de Rameau* de Diderot (1762) où le dialogue domine ; c'est le cas de *La Nouvelle Héloïse* (1761) de J.J. Rousseau ou des *Liaisons dangereuses* (1782) de Choderlos de Laclos qui se déroulent sur le mode épistolaire.

On peut encore penser à des procédés narratifs tels que le prologue explicatif (fréquent dans le roman du XVIIIᵉ siècle) ou l'épilogue sous forme de fait-divers...

2. La description

Faute de pouvoir examiner tous les types de séquences, nous nous attacherons à la *description* dans la mesure où sa fréquence et son importance dans les romans nous paraissent indéniables. Les modes d'analyse que nous allons employer sont, en tous cas, transférables aux autres séquences.

Précisons d'emblée que nous entendons par *description*, une séquence organisée autour d'un *référent spatial* (et non temporel comme dans la narration d'événements) et produisant l'*état* d'un objet, d'un lieu ou d'un personnage (le portrait). Cela signifie que la description utilise surtout des énoncés d'*être*, même si, parfois, elle peut employer des énoncés de *faire* (ainsi, la conjonction de plusieurs actions simultanées peut constituer la description d'une scène : de bal, de marché...). Cela signifie aussi que nous considérons des passages d'une certaine étendue et non de simples notations descriptives, présentes dans presque tous les syntagmes. (ex. : Le *petit* Chaperon *rouge*).

LES PROBLÈMES DE LA DESCRIPTION

«Nous pouvons définir provisoirement la description comme une expansion du récit [...], un énoncé continu ou discontinu, unifié du point de vue des prédicats et des thèmes, dont la clôture n'ouvre aucune imprésivibilité pour la suite du récit, et qui n'entre (globalement) dans aucune dialectique de classes logiques complémentaires et orientées. Trois problèmes principaux se posent, par conséquent :

a) La façon dont la description *s'insère* dans un ensemble plus vaste [...]. Y a-t-il des signes *démarcatifs*, introducteurs et conclusifs de la description ?

b) La façon dont la description, en tant qu'unité détachable, *fonctionne intérieurement* et assure sa cohésion sémantique.

c) Son *rôle* en général dans le fonctionnement global d'une narration.»

(Philippe Hamon : «Qu'est-ce qu'une description ?»,
Poétique n° 12, 1972)

La désignation du sujet décrit

Toute description est l'*expansion* du sujet décrit (objet, lieu, personnage) qui peut être désigné par un titre. C'est ce dont on parle : le *thème-titre*, qui renvoie à des référents connus ou non (un lieu fictif ou réel...).

Ce *thème-titre* peut être indiqué au début du passage descriptif, ce qui facilite la compréhension immédiate. On appelle ce procédé : l'*ancrage* de la description. Mais on peut aussi retarder le moment de la désignation, ce qui va produire un effet d'attente. Le thème-titre surviendra comme résolution d'une «énigme» provisoire. On appelle ce procédé : l'*affectation* de la description.

Les deux extraits suivants d'*Isabelle* (A. Gide, 1921) manifestent ces deux procédés, l'*affectation* dans le premier cas, l'*ancrage* dans le second.

«J'allais refermer ma fenêtre, lorsque je vis sortir du potager et accourir vers la cuisine un grand enfant, d'âge incertain car son visage marquait trois ou quatre ans de plus de son corps ; tout contrefait, il portait de guingois : ses jambes torses lui donnaient une allure extraordinaire : il avançait obliquement, ou plutôt procédait par bonds, comme si, à marcher pas-à-pas, ses pieds eussent dû s'entraver... C'était évidemment l'élève de l'abbé Casimir.»

«Alors je reportais mes yeux sur M. Floche ; il s'offrait à moi de profil ; je voyais un grand nez mou, inexpressif, des sourcils buissonnants, un menton ras sans cesse en mouvement comme pour mâcher une chique...».

Les opérations de la description

Toute description réalise différentes opérations. Les opérations
dites d'*aspectualisation* consistent soit à indiquer les grandes *propriétés* (forme, couleur, taille…) de ce qui est décrit, soit à en donner
les parties, les *composants*. Dans ce deuxième cas, on utilise les
mécanismes de l'énumération ou de la synecdoque. Les opérations
de *mise en relation* précisent la *situation* de l'objet (dans l'espace,
dans le temps…) ou procèdent par *assimilation* avec d'autres objets,
par des comparaisons, des métaphores, des reformulations, des
négations (ce qu'il n'est pas, ce qu'il n'a pas…). On pourrait – et le
Nouveau Roman l'a fait – expanser considérablement les descriptions en réitérant chacune des opérations sur chacun des composants, des sous-thèmes, de l'objet décrit. Mais l'ennui et la confusion (l'oubli de l'unité constituée par le thème-titre) guettent vite le
lecteur.

Nous allons reprendre brièvement ces éléments à partir de la
célèbre description de la casquette de Charles Bovary (G. Flaubert,
Madame Bovary, 1857) :

> «Mais soit qu'il n'eût pas remarqué cette manœuvre ou qu'il
> n'eût osé s'y soumettre, la prière était finie que le *nouveau* tenait
> encore sa casquette sur ses deux genoux. C'était une de ces
> coiffures d'ordre composite, où l'on retrouve les éléments du
> bonnet à poil, du chapska, du chapeau rond, de la casquette de loutre
> et du bonnet de coton, une de ces pauvres choses, enfin, dont la
> laideur muette a des profondeurs d'expression comme le visage
> d'un imbécile. Ovoïde et renflée de baleines, elle commençait par
> trois boudins circulaires ; puis s'alternaient, séparés par une bande
> rouge, des losanges de velours et de poil de lapin ; venait ensuite une
> façon de sac qui se terminait par un polygone cartonné, couvert
> d'une broderie en soutache compliquée, et d'où pendait, au bout
> d'un long cordon trop mince, un petit croisillon de fils d'or en
> manière de gland. Elle était neuve ; la visière brillait.»

L'*aspectualisation* est marquée dans ce passage par les *propriétés*
telles que «ovoïde» ou «neuve» et des *parties* telles que les «trois
boudins», les «losanges de velours et de poil de lapin», «une façon
de sac», etc. La *mise en relation* concerne la *situation* de la casquette, «sur ses deux genoux», et son *assimilation* à des «coiffures
d'ordre composite», à de «pauvres choses». Certains éléments sont
à leur tour *thématisés* comme cette «façon de sac» dont on décrit les
composants, le dernier «un petit croisillon» étant lui-même assimilé
par comparaison.

Mais l'important reste, bien sûr, l'effet produit par ces techniques, (l'évaluation de Charles Bovary) et le repérage des procédures accentuées par chaque auteur.

L'organisation de la description

Les éléments de la description font aussi l'objet d'un travail de présentation à la surface du texte. Ce travail vise à donner l'impression d'un *mouvement* dans la description dont le défaut est souvent d'apparaître statique. Etant obligés d'écrire *successivement* ce qui est censé avoir été perçu dans la *simultanéité*, les écrivains vont tenter de compenser ce fait en donnant l'illusion de la mobilité.

Pour réaliser cela, ils vont recourir à une disposition par *plans*. Le *plan spatial* va multiplier les indications d'espace, soit verticalement (haut/bas), soit horizontalement (gauche/droite), soit en profondeur (devant/derrière). On aura ainsi l'impression du mouvement soit du regard de l'observateur, soit de l'observateur (ce qui peut être renforcé par un trajet, dans le cas de la promenade ou du voyage), soit de l'objet lui-même qui avance ou recule. Au début du *Grand Meaulnes* d'Alain Fournier (1913) se trouve une description fondée sur un plan spatial :

> «Nous habitons les bâtiments du *Cours Supérieur* de Sainte-Agathe [...]. Une longue maison rouge, avec cinq portes vitrées, sous des vignes vierges, à l'extrémité du bourg ; une cour immense avec préaux et buanderie, qui ouvrait en avant sur le village par un grand portail ; sur le côté nord, la route où donnait une petite grille et qui menait vers la Gare, à trois kilomètres ; au sud et par derrière, des champs, des jardins et des prés qui rejoignaient les faubourgs... tel est le plan de cette demeure où s'écoulèrent les jours les plus tourmentés et les plus chers de ma vie (...)».

Le *plan temporel* va accentuer l'impression du mouvement par la multiplication des adverbes et des indicateurs de temps : «d'abord», «puis», «ensuite», «enfin», «à ce moment»... Il s'agit de narrativiser, de temporaliser le descriptif.

Outre la disposition par plans, les écrivains peuvent employer deux autres techniques qui produisent des effets similaires. Tout d'abord une *gradation dans les verbes de perception* qui donne l'impression que le sujet se précise : «il aperçut», «il distingua», «il vit», «il remarqua»... Ensuite, l'*animation des éléments statiques* : par l'emploi de verbes réservés à des animés que l'on attribue à des inanimés, on «injecte» de la vie dans ce qui est statique :

«Le ciel était devenu tout rouge ; il flamblait glorieusement ; les champs réveillés s'étiraient, sortaient l'un après l'autre de leurs voiles de vapeur rose et bleue, qui flottaient ainsi que de longues écharpes, doucement agitées par d'invisibles mains. Des arbres grêles, des chaumines émergeaient de tout ce rose et de tout ce bleu ; le pigeonnier d'une grande ferme, dont les toits de tuile neuve commençaient de briller, dressait son cône blanchâtre dans l'ardeur pourprée de l'orient…».

(O. Mirbeau, *Le Calvaire*)

Il faut cependant convenir que, dans ce dernier cas, le procédé est si courant, les expressions sont à ce point «lexicalisées», que l'effet d'animation est sans doute peu perçu…

Motivation et insertion de la description

Reste que la description court toujours le risque d'être perçue comme une interruption dans le récit, dans le fil de l'action. Pour remédier à cela, les réalistes vont déplacer de plus en plus la prise en charge de la description, du narrateur aux personnages. Elle tendra à être prise dans un processus d'action des personnages *qui voient, parlent ou agissent*. Elle sera *motivée* par l'intrigue et le *faire* des protagonistes.

Ainsi, on placera un personnage qualifié pour voir (peintre, voyageur…) dans un milieu propice (sur un lieu élevé, devant une ouverture…), avec une motivation (la curiosité, la découverte…) et une cause (il est en avance, il est fatigué…). Ou alors on fera dialoguer un «expert» (spécialiste, autochtone…) avec un néophyte (apprenti, étranger…). Ou encore, on fera découvrir un lieu ou une machine par l'activité d'un travailleur (la locomotive de *La Bête humaine* par les manœuvres de Jacques Lantier, ou la mine dans *Germinal* par les mineurs ou le sabotage de Souvarine).

Philippe Hamon, qui a étudié ces techniques dans les romans naturalistes, a pu montrer que ces procédures de motivation servaient aussi à introduire les descriptions par des énoncés «canoniques» qui correspondraient à l'organisation suivante :

$$\left\{ \begin{array}{c} \text{personnage} \\ \text{qualifié} \end{array} \right\} + \left\{ \begin{array}{c} \text{notation d'} \\ \text{une suspen-} \\ \text{sion dans} \\ \text{le récit} \end{array} \right\} + \left\{ \begin{array}{c} \text{verbe de per-} \\ \text{ception, de} \\ \text{communication} \\ \text{ou d'action} \end{array} \right\} + \left\{ \begin{array}{c} \text{mention} \\ \text{d'un lieu} \\ \text{propice} \end{array} \right\} + \left\{ \begin{array}{c} \text{objet} \\ \text{à} \\ \text{décrire} \end{array} \right\}$$

La séquence descriptive peut conséquemment se clore plus «naturellement» sur ces bases : quand l'attente ou l'activité est terminée, quand le lieu ne s'y prête plus (fermeture d'une porte, nuit qui tombe…).

Dans *L'Œuvre* de Zola (1886), on trouve ainsi une description qui réalise de façon très «pure» ce modèle (ce qui est rarement le cas) :

> «Claude passait devant l'Hôtel de Ville, et deux heures du matin sonnaient à l'horloge, quand l'orage éclata. Il s'était oublié à rôder dans les Halles, par cette nuit brûlante de juillet, en artiste flâneur, amoureux du Paris nocturne. Brusquement, les gouttes tombèrent si larges, si drues, qu'il prit sa course, galopa dégingandé, éperdu, le long du quai de la Grève. Mais, au pont Louis-Philippe, une colère de son essoufflement l'arrêta : il trouvait imbécile cette peur de l'eau ; et, dans les ténèbres épaisses, sous le cinglement de l'averse qui noyait les becs de gaz, il traversa lentement le pont, les mains ballantes. Du reste, Claude n'avait plus que quelques pas à faire. Comme il tournait sur le quai de Bourbon, dans l'île Saint-Louis, un vif éclair illumina la ligne droite et plate des vieux hôtels rangés devant la Seine, au bord de l'étroite chaussée. La réverbération alluma les vitres des hautes fenêtres sans persiennes, on vit le grand air triste des antiques façades, avec des détails très nets, un balcon de pierre, une rampe de terrasse, la guirlande sculptée d'un fronton. C'était là que le peintre avait son atelier, dans les combles de l'ancien hôtel du Martoy, à l'angle de la rue de la Femme-sans-Tête. Le quai entrevu était aussitôt retombé aux ténèbres, et un formidable coup de tonnerre avait ébranlé le quartier endormi.»

En fait, ces procédés font partie d'une gamme, constamment renouvelée par les écrivains, pour *justifier* et *naturaliser* les descriptions. Si les trois modes (dire, voir, faire) sont dominants, ils peuvent s'incarner dans d'innombrables variations : la première rencontre (avec l'effet produit sur l'autre), les rencontres suivantes (avec la reconnaissance ou non), la comparaison systématique (entre deux lieux ou deux personnages), la description-souvenir, la description par le biais d'une image (une photo, un tableau, le reflet dans le miroir…).

De surcroît, la description peut varier selon les moments de la journée ou les regards ; elle peut être donnée en une fois ou fragmentée (par une reconstitution, par des témoignages…).

Les fonctions de la description

La description et le portrait assument diverses fonctions dans un roman. Nous allons en présenter quatre. Il est important de retenir que ces fonctions ne sont pas exclusives : une même description peut remplir plusieurs fonctions simultanément.

La description peut avoir ou non une *fonction mimésique*, c'est-à-dire produire ou non l'illusion de la réalité : présenter l'espace-temps, les personnages, les objets comme réels, comme vrais. Cette fonction, exacerbée dans le cas du réalisme ou du naturalisme, varie cependant selon les genres qui ont, chacun, leurs propres conventions.

Au XIXe siècle se développa la *fonction mathésique*. Les descriptions deviennent, par excellence, le lieu textuel où se diffuse le savoir, accumulé dans les dossiers et les enquêtes des romanciers. La description «naturalise» le discours documentaire. Cela peut, dans certains cas (J. Verne, par exemple) entraîner des écueils tels que l'ennui (devant le didactisme, l'impression d'être en face d'une fiche technique) ou des difficultés de lecture (devant l'abondance du vocabulaire spécialisé).

La description possède aussi une *fonction narrative* : elle remplit des rôles dans le développement de l'histoire. Elle fixe et mémorise un savoir sur les lieux et les personnages (ou elle dissimule des informations), elle donne des indications d'atmosphère, elle participe de l'évaluation, elle dramatise en ralentissant la narration à un moment crucial, elle dispose des indices pour la suite de l'intrigue...

Roland Barthes a proposé une distinction intéressante entre les éléments qui renverraient à la fonction mimésique (les *informants*) et ceux qui participeraient de la fonction narrative (les *indices*). Les informants donneraient des informations compréhensibles aussitôt, qui «relieraient» le texte au hors-texte pour produire l'illusion du réel : «A *Paris*, en *1990*...». Les indices, en revanche, donneraient des informations qui ne se comprendraient entièrement «qu'après coup» et qui relieraient un fragment textuel à un autre. On peut bien sûr penser aux indices d'une enquête policière qui ne s'éclairent que par la suite, mais nombre d'autres informations fonctionnent de la sorte : si l'auteur dit à la page 10, incidemment, que tel personnage a étudié pendant deux ans le Chinois, cela peut être déterminant pour la suite narrative, si des messages en chinois circulent... En fait, toute information peut articuler les deux fonctions ; il convient d'être d'autant plus précis à la lecture des descriptions...

La quatrième fonction est la *fonction esthétique*. Toute description signifie une prise de position de l'écrivain, dans l'ordre esthétique. La tentative d'élimination du descriptif ou son remplacement par des dessins ou des photos réfère au Surréalisme qui se méfiait des «clichés» et des «cartes postales» (voir *Nadja* d'André Breton, 1928). L'hypertrophie du descriptif qui entre alors en «belligérance» avec le narratif, selon les termes de J. Ricardou, renvoie au Nouveau Roman qui déconstruit personnages et intrigue. L'emploi de figures privilégiées : métaphores ou métonymies et synecdoques renvoie aux Romantiques ou aux Réalistes... Le choix même des objets décrits peut désigner une époque : par exemple les épées dans *La Chanson de Roland...*

APPLICATIONS PRATIQUES

1. *Vous indiquerez dans cet extrait de* La Condition humaine *de Malraux, quels sont les types de séquences. Puis vous préciserez comment le savoir est intégré, motivé, et enfin quels sont les spécificités (lexicales, syntaxiques...) du passage explicatif :*

«Le colonel regarda Ferral par-dessus sa taie, répondit seulement : «Voici la traduction.»
Ferral lut la pièce.
- J'ai même la réponse, dit le colonel.
Il tendit une photo : au-dessus de la signature de Chang-Kaï-Shek, deux caractères.
- Ça veut dire ?
- *Fusillez.*
Ferral regarda, au mur, la carte de Shanghaï avec de grandes taches rouges qui indiquaient les masses des ouvriers et des misérables – les mêmes. «Trois mille hommes des gardes syndicales, pensait-il, peut-être trois cent mille derrière ; mais oseront-ils bouger ? De l'autre côté, Chang-Kaï-Shek et l'armée...»
- Il va commencer par fusiller les chefs communistes avant toute émeute ? demanda-t-il.
- Certainement. Il n'y aura pas d'émeute : les communistes sont presque désarmés et Chang-Kaï-Shek a ses troupes. La 1re division est au front : c'était la seule dangereuse.
- Merci. Au revoir.
Ferral allait chez Valérie. Un boy l'attendait à côté du chauffeur, un merle dans une grande cage dorée sur ses genoux. Valérie avait prié Ferral de lui faire ce cadeau. Dès que son auto fut en marche, il tira de sa poche une lettre et la relut. Ce qu'il craignait depuis un mois se produisait : ses crédits américains allaient être coupés.
Les commandes du Gouvernement général de l'Indochine ne suffisaient plus à l'activité d'usines créés pour un marché qui devait s'étendre de mois en mois et qui diminuait de jour en jour : les entreprises industrielles du Consortium étaient déficitaires. Les cours des actions, maintenus à Paris par les banques de Ferral et les groupes financiers français qui leur étaient liés, et surtout par

l'inflation, depuis la stabilisation du franc, descendaient sans arrêt. Mais les banques du Consortium n'étaient fortes que des bénéfices de ses plantations – essentiellement, de ses sociétés de caoutchouc. Le plan Stevenson avait porté de 16 cents à 112 le cours du caoutchouc. Ferral, producteur par ses hévéas d'Indochine, avait bénéficié de la hausse sans devoir restreindre sa production, puisque ses affaires n'étaient pas anglaises. Aussi les banques américaines, sachant d'expérience combien le plan coûtait à l'Amérique, principal consommateur, avaient-elles volontiers ouvert des crédits garantis par les plantations. Mais la production indigène des Indes néerlandaises, la menace de plantations américaines aux Philippines, au Brésil, au Libéria, menaient maintenant à l'effondrement les cours du caoutchouc ; les banques américaines, cessaient donc leurs crédits pour les mêmes raisons qu'elles les avaient accordés. Ferral était atteint à la fois par le krach de la seule matière première qui le soutînt – il s'était fait ouvrir des crédits, il avait spéculé, non sur la valeur de sa production mais sur celle des plantations mêmes – par la stabilisation du franc qui faisait baisser tous ses titres (dont une quantité appartenait à ses banques résolues à contrôler le marché) et par la suppression de ses crédits américains. Et il n'ignorait pas que, dès que cette suppression serait connue, tous les margoulins de Paris et de New York prendraient position à la baisse sur ses titres ; position trop sûre… Il ne pouvait être sauvé que pour des raisons morales ; donc, que par le Gouvernement français». (Gallimard, 1972).

2. *Dans* Le Père Goriot *de Balzac, Eugène de Rastignac après avoir rencontré Delphine de Nucingen vient en parler au père Goriot. Comment est motivée cette description, quels plans et quelles techniques sont employés, comment sont liées description et évaluation ?*

«Eugène, qui se trouvait pour la première fois chez le père Goriot, ne fut pas maître d'un mouvement de stupéfaction en voyant le bouge ou vivait le père après avoir admiré la toilette de la fille. La fenêtre était sans rideaux ; le papier de tenture collé sur les murailles s'en détachait en plusieurs endroits par l'effet de l'humidité et se recroquevillait en laissant apercevoir le plâtre jauni par la fumée. Le bonhomme gisait sur un mauvais lit […]. Le carreau était humide et plein de poussière. En face de la croisée se voyait une de ces commodes en bois rose à ventre renflé, qui ont des mains en cuivre tordu en façon de sarments décorés de feuilles ou de fleurs ; un vieux meuble à tablette de bois sur lequel était un pot à eau dans sa cuvette et tous les ustensiles nécessaires pour se faire la barbe. […] Le plus pauvre commissionnaire était certes moins mal meublé dans son grenier, que ne l'était le père Goriot chez Madame Vauquer. L'aspect de cette chambre donnait froid et serrait le cœur, elle ressemblait au plus triste logement d'une prison. Heureusement Goriot ne vit pas l'expression qui se peignit sur la physionomie d'Eugène quand celui-ci posa sa chandelle sur la table de la nuit.»

3. *Dans* L'Assommoir, *Coupeau présente Gervaise aux Lorilleux qui fabriquent des chaînes d'or. Comment est insérée et motivée la description ?*

«Au milieu de la quinte [de toux], il [Lorilleux] parla, il dit d'une voix suffoquée, toujours sans regarder Gervaise, comme s'il eût constaté la chose uniquement pour lui :
«Moi je fais la colonne».
Coupeau força Gervaise à se lever. Elle pouvait bien s'approcher, elle verrait. Le chaîniste consentit d'un grognement. Il enroulait le fil préparé par sa femme autour d'un mandrin, une baguette d'acier très mince. Puis, il donna un léger coup de scie, qui tout le long du mandrin coupa le fil, dont chaque tour forma un maillon. Ensuite il souda. Les maillons étaient posés sur un gros morceau de charbon de bois. Il les mouillait d'une goutte de borax, prise dans le cul d'un verre, à côté de lui ; et, rapidement, il les rougissait à la lampe, sous la flamme horizontale du chalumeau. Alors, quand il eut une centaine de maillons il se remit une fois encore à son travail menu, appuyé au bord de la cheville, un bout de planchette que le frottement de ses mains avait poli. Il ployait la maille à la pince, la serrait d'un côté, l'introduisait dans la maille supérieure déjà en place, la rouvrait à l'aide d'une pointe ; cela avec une régularité continue, les mailles succédant aux mailles, si vivement, que la chaîne s'allongeait peu à peu sous les yeux de Gervaise, sans lui permettre de suivre et de bien comprendre.
«C'est la colonne, dit Coupeau. Il y a le jaseron, le forçat, la gourmette, la corde. Mais ça, c'est la colonne. Lorilleux ne fait que la colonne.»

4. *Dans la description suivante, le thème-titre est-il donné par ancrage ou affectation ? Quel est l'effet produit ? Comment est motivée la description ? Comment est-elle organisée ?*

«Il [Mateo Falcone] était absent depuis quelques heures, et le petit Fortunato était tranquillement étendu au soleil, regardant les montagnes bleues, et pensant que, le dimanche prochain, il irait dîner à la ville, chez son oncle le caporal, quand il fut soudainement interrompu dans ses méditations par l'explosion d'une arme à feu. Il se leva et se tourna du côté de la plaine d'où partait ce bruit. D'autres coups de fusil se succédèrent, tirés à intervalles inégaux, et toujours de plus en plus rapprochés ; enfin, dans le sentier qui menait de la plaine à la maison de Mateo, parut un homme, coiffé d'un bonnet pointu comme en portent les montagnards, barbu, couvert de haillons, et se traînant avec peine en s'appuyant sur son fusil. Il venait de recevoir un coup de feu dans la cuisse.
Cet homme était un bandit, qui, étant parti de nuit pour aller chercher de la poudre à la ville, était tombé en route dans une embuscade de voltigeurs corses.»

(P. Mérimée, *Mateo Falcone*, 1829).

LECTURES CONSEILLÉES

1. *Sur l' hétérogénéité, les types de textes et de séquences.*

ADAM Jean-Michel,
«Quels types de textes ?», *Le Français dans le monde*, n° 192, 1985.

Langue française n° 74, *La typologie des discours*, mai 1987.

Le Français aujourd' hui n° 79, «Classes de textes/textes en classe», septembre 1987.

PETITJEAN André,
«Les récits étiologiques», *Pratiques* n° 51, *Les textes explicatifs*, septembre 1986.

Pratiques n° 56, *Les types de textes*, décembre 1987.

ROBIN Régine,
Le Réalisme socialiste. Une esthétique impossible, Paris, Payot, 1986.

SULEIMAN Susan,
Le Roman à thèse ou l' autorité fictive, Paris, PUF, 1983.

2. *Sur la description.*

ADAM Jean-Michel et PETITJEAN André,
Le Texte descriptif, Paris, Nathan, 1989.

APOTHÉLOZ Daniel,
«Éléments pour une logique de la description et du raisonnement spatial», *Degrés* n° 35-36, Bruxelles, 1983.

HAMON Philippe,
Introduction à l' analyse du descriptif, Paris, Hachette, 1981.

RICARDOU Jean,
Problèmes du Nouveau Roman, Paris, Seuil, 1967.

VII. Savoirs et valeurs

La disposition dans le texte des *savoirs* et des *valeurs* est un des facteurs principaux qui détermine enjeux et intérêts. Parfois même, dans une littérature «d'idées», engagée ou didactique, le récit n'est là que pour illustrer, «faire passer» ce matériau notionnel.

1. Les savoirs

Fonctions des savoirs

Les savoirs sont d'abord nécessaires – comme nous l'avons vu dans le chapitre précédent – pour *construire et comprendre la fiction* (l'univers, les personnages, l'intrigue...), pour éviter invraisemblances ou incohérences. Quand l'univers posé est supposé étranger au lecteur (inventé dans la science-fiction, éloigné historiquement ou spécialisé) il est nécessaire d'introduire dans le récit – sous une forme ou une autre – des informations en nombre important. Ainsi E. Carrère, dans son roman *Hors d'atteinte ?* (P.O.L., 1988) qui raconte l'histoire d'une femme prise par le démon du jeu, «truffe» son récit d'explications concernant les règles des jeux de casino.

Ces savoirs sont aussi convoqués pour *instruire*. Il s'agit de *la fonction didactique*, chère aux romanciers du XIXe siècle, que nous avons précédemment évoquée. Ils se caractérisent par un «excès» : ils «débordent» ce qui serait strictement nécessaire à la conduite du récit. Le roman devient document.

Ils peuvent encore excéder les fonctions narrative et didactique pour produire l'*intérêt* du texte. Dans certains romans en effet, l'intérêt réside dans l'acquisition de savoirs ou la résolution d'énigmes. On peut penser à des genres aussi différents que les romans d'énigme, d'espionnage, sentimentaux ou d'éducation. Roland Barthes emploie à ce propos la notion de *code herméneutique* («les différents termes (…), au gré desquels une énigme se centre, se pose, se formule, puis se retarde et enfin se dévoile (…)» ; *S/Z*, p. 26). Cette fonction peut aussi s'exercer à une échelle moindre que l'ensemble du texte, en organisant de façon ponctuelle les «rebondissements» et «coups de théâtre» dûs à un savoir qui se révèle faux ou qui était resté ignoré.

Enfin, les savoirs ont une fonction de *gestion des implicites du récit*. Cela s'explique par le fait qu'un texte ne *peut* tout dire. Cette *contrainte*, due à des raisons matérielles d'étendue du livre, est transformée en choix, en sélection de ce qui sera explicité ou implicité, pour des motifs narratifs, didactiques, idéologiques (les tabous) ou esthétiques. Gérard Genette a résumé cela dans la formule suivante : «Le récit en dit toujours moins qu'il n'en sait, mais en fait souvent savoir plus qu'il n'en dit.» (*Figures III*, p. 213). Dans nombre de cas, il existe une sélection fondée sur les savoirs que les romanciers estiment partagés par les lecteurs (Paris est connu comme la capitale de la France). Ces savoirs peuvent être fixés dans ce que les psychologues appellent des *scripts* : des scénarios culturellement partagés. Par exemple, le script du restaurant implique, plus ou moins, la lecture des menus affichés, l'entrée, le choix de la table, le choix des plats, l'acte de manger, le paiement de l'addition, etc. L'auteur n'a pas besoin de tout écrire ; à partir d'une indication, le lecteur reconstitue le schéma d'ensemble. Dès lors, ils devient intéressant d'étudier quels moments les romans privilégient ou occultent dans certains scripts (celui de la conquête amoureuse par exemple). On peut aussi constater que des romanciers contemporains créent des effets inattendus, d'absurde ou d'humour, en explicitant la totalité d'un script, parfois très banal. C'est le cas d'Olivier Toussaint dans *L'Appareil-photo* (Minuit, 1988) qui déploie les scripts du «passage aux toilettes» ou du «photomaton»…

Statut des savoirs

La question du statut des savoirs est aussi importante que celle de leurs fonctions. On peut l'envisager de deux façons au moins : celle de la *référence* et celle de la *position*.

Les savoirs peuvent être référés à d'autres discours, politiques, historiques, scientifiques..., auxquels l'auteur emprunte par une opération d'*intertextualité* (voir chapitre suivant). Ces «sources» sont alors précieuses pour comprendre la ou les thèse(s) qui traversent le roman. Plus la référence sera massive, univoque et incontestée, plus l'ouvrage aura de chance d'être un livre à thèse, porteur d'*un* «sens», *monologique*.

Mais, même référés à d'autres discours, les savoirs peuvent avoir des *statuts* différents : contestés par leur «brassage» et leur attribution à divers personnages, «minés» par l'ironie, ou posés comme incertains. Dans ce cas, le roman devient *dialogique* (traversé et constitué par *des* voix différentes). La plupart des romanciers ont largement usé de ces procédures. Citons, entre nombre d'exemples possibles, les auteurs du XVIIIe siècle qui ont placé face à notre monde des «étrangers» qui, du coup, révélaient l'arbitraire des savoirs et des valeurs (Montesquieu avec *Les Lettres persanes* 1721) ou Voltaire avec *L'Ingénu* (1767), ou les écrivains du XXe siècle qui ont cultivé l'incertitude et le brouillage du Sens, tel Samuel Beckett qui conclut ainsi *Molloy* (1951) :

> «Mais j'ai fini par comprendre ce langage. Je l'ai compris, je le comprends de travers peut-être. La question n'est pas là. C'est elle qui m'a dit de faire le rapport. Est-ce à dire que je suis plus libre maintenant ? Je ne sais pas. J'apprendrai. Alors je rentrai dans la maison et j'écrivis. Il est minuit. La pluie fouette les vitres. Il n'était pas minuit. Il ne pleuvait pas.»

Intégration des savoirs

L'intégration des savoirs est fortement tributaire du choix de la narration et de la perspective que nous avons étudiés précédemment. Une narration hétérodiégétique, passant par la perspective du narrateur, justifie l'omniscience du narrateur qui peut communiquer au lecteur un maximum d'informations. Mais il peut aussi – pour ménager des effets de surprise – en retenir. La *paralipse* consiste ainsi en omissions volontaires. Une des plus célèbres est celle de Jules Verne dans *Michel Strogoff* (1876) qui cache au lecteur, à partir du chapitre VI, que le héros n'est pas aveugle. De son côté le choix de la perspective d'un personnage permet de laisser dans l'ombre les sentiments de l'autre (que pense l'héroïne, dans *Manon Lescaut* de l'Abbé Prévost ?). Il est aussi possible de confronter la perspective du narrateur avec celle d'un personnage, c'est le cas dans *La*

Princesse de Clèves (1678) où le narrateur démêle les sentiments de l'héroïne qu'elle se cache à elle-même. Dans *Le Revenant* (Hachette, 1981), René Belletto joue ironiquement des possibilités d'une narration homodiégétique centrée sur le narrateur, qui crée donc un écart avec le savoir de l'acteur au moment où se déroulait l'action :

> «Et voilà. Comme on s'en doute – je n'ai pas pu ne pas le laisser pressentir – mais comme je ne le crus pas moi-même jusqu'à la dernière seconde – j'étais tombé dans un piège.»

Cette dimension, tributaire de la narration et de la focalisation, détermine donc la circulation des savoirs entre narrateur et narrataire et, par-delà, entre auteur et lecteur. En ce sens on pourrait parler d'un *savoir énonciatif*, à côté duquel il faudrait distinguer, pour reprendre les termes de Ph. Hamon (*Le Personnel du roman*. Le système des personnages dans *Les Rougon-Macquart* d'Émile Zola, Genève, Droz, 1983, pp. 275-276), un *savoir énoncif* qu'il définit de la sorte :

> «(…) *le savoir énoncif* définit, dans le roman, l'espace interne des quiproquos et des informations, des malentendus et des délations, du secret et du mensonge, de l'hypocrisie et du mystère, de l'être et du paraître (…)».

Ce savoir, distribué inégalement entre les personnages, constitue souvent l'enjeu de l'intrigue et en détermine les rebondissements. Il concerne aussi bien les sentiments amoureux (que l'on cache ou que l'on dissimule à l'autre, que l'on croit voir ou que l'on veut ignorer comme chez Marivaux) que les éléments du crime et de l'enquête dans le roman policier.

Ce genre a d'ailleurs systématisé, par nécessité structurale, le travail sur les *indices* (les traces du savoir à reconstruire) et sur les *leurres*, car les informations peuvent faire l'objet de stratégies de dissimulation. Dans une étude sur Agatha Christie, Annie Combes a ainsi proposé une typologie des indices qui peut être transférée à d'autres romans : les indices fictionnels (liés aux objets ou aux personnages), linguistiques (liés aux dialogues, aux lapsus, aux implicites…) et scripturaux (liées à la «lettre» du texte : anagrammes, symétries, référant à d'autres fictions, ou placés en exergue, dans le titre…). Les leurres, quant à eux, tiennent à de multiples procédures : leur profusion (on ne sait lequel choisir), leur emplacement (au début, quand le lecteur cherche à construire l'univers ou dans des passages apparemment «secondaires»), leur incertitude (on ne sait s'ils s'intègrent à l'histoire principale ou à une histoire secondaire), l'insistance sur un indice en évidence qui en dissimule un autre à proximité…

Ce savoir énoncif, ainsi que le jeu des indices et des leurres, a été considérablement utilisé par le roman d'aventures, le roman-feuilleton (avec tous les déguisements et les trahisons...). Il est néanmoins présent dans tout récit qui, autrement, ne saurait progresser ni intéresser. Comment concevoir un roman où tout serait clair et donné immédiatement entre les personnages ?

Les savoirs sont aussi intégrés différemment selon le type de séquence choisie (cf. le chapitre précédent) : narrative, dialoguée, explicative... et le mode, plus ou moins direct, de leur inscription. Ainsi, le roman «comportementaliste» préfère qualifier les personnages par leurs actions que par des indications explicites sur leur caractère (il est lâche, courageux...).

Enfin, l'intégration des savoirs et des informations demeure bien sûr tributaire des mentalités et de la censure qui influencent à chaque époque ce qui peut être dit et sous quelles formes. Boileau rappelle ainsi dans son *Art poétique* (1674) des principes transposables aux romans :

> «Ce qu'on ne doit point voir, qu'un récit nous l'expose :
> Les yeux ne le voyant saisiraient mieux la chose ;
> Mais il est des objets que l'art judicieux
> Doit offrir à l'oreille et reculer des yeux.»

2. Les valeurs

Fonctions des valeurs

De même que les savoirs, les valeurs assument différentes fonctions dans les romans. Il semble d'abord qu'elles soient des *adjuvants pour comprendre les textes*, pour guider la lecture : soit parce que la thèse défendue est apparente et organise des itinéraires (du péché à la rédemption...) soit parce que le système des valeurs (bien/mal, positif/négatif...) aide à comprendre, à situer et à évaluer les personnages et les actions. Charles Grivel explique cela de la façon suivante :

> «Les types positifs et négatifs sont un élément nécessaire à la construction de la fable. Attirer les sympathies du lecteur pour certains d'entre eux et sa répulsion pour certains autres entraîne immanquablement sa participation émotionnelle aux événements exposés et son intérêt pour le sort des héros. Seulement, il ne s'agit

pas là de simplement fixer le lecteur au texte, d'y braquer sa seule attention : désigner à la sympathie assigne au lecteur *la place à partir de laquelle le texte devient perceptible (…)*» (*Production de l'intérêt romanesque*, pp. 125-126).

Il convient cependant de noter que si le système des valeurs proposé par le texte s'oppose fortement à celui du lecteur des effets d'incompréhension ou de rejet risquent de se produire.

La mise en jeu des valeurs sert aussi bien souvent *une fonction didactique*, qu'elle soit morale ou politique. Il existe des romans d'éducation à l'usage des petites filles, des enfants, des adultes suscités par diverses institutions pour combattre les «vices du siècle» ou les «mauvais romans»…

Enfin, les valeurs contribuent à *l'intérêt romanesque* en suscitant des oppositions fortes (entre les personnages, ou entre tel personnage et le monde) au travers desquelles l'émotion du lecteur peut s'investir. Le conflit entre le Bien et le Mal est un des moteurs romanesques par excellence. Le Justicier en est une des figures emblématiques, au même titre que le Vengeur, le Converti ou le Repenti. Cela a d'ailleurs pu prendre des formes très diverses, telles la figure de l'élève pauvre face à une institution scolaire prévue pour des enfants plus aisés (voir les romans de Jules Vallès), ou le héros en proie à une maladie…

Statut des valeurs

Le statut des valeurs peut être présenté comme incontestable, devant être partagé par tous. Dans ce cas, le narrateur n'hésite pas à s'engager dans le texte, sans distance, à présenter son point de vue comme le seul possible. L'*axiologisation* (la distribution des valeurs dans le texte) étant affirmée, seul importe le triomphe ou non des «bonnes» valeurs. Ces romans, à dominante monologique, ont été fréquents dans les siècles antérieurs, dans les genres populaires ou dans la littérature à thèse. Ils n'échappent pas – avec le recul du temps – à une impression de «naïveté» tant les valeurs se sont transformées, tant les procédés sont apparents :

> «Le jour passe, la nuit est tombée. La lune est claire, les étoiles brillent. L'empereur a pris Saragosse : par mille Français on fait fouiller à fond la ville, les synagogues et les mahommeries. A coups de mails de fer et de cognées ils brisent les images et toutes les idoles : il n'y demeurera maléfice ni sortilège. Le roi croit en Dieu,

il veut faire son service ; et ses évêques bénissent les eaux. On mène les païens jusqu'au baptistère ; s'il en est un qui résiste à Charles, le roi le fait pendre, ou brûler ou tuer par le fer. Bien plus de cent mille sont baptisés vrais chrétiens, mais non la reine. Elle sera menée en douce France, captive : le roi veut qu'elle se convertisse par amour.»

(*La Chanson de Roland*).

Lorsque l'axiologisation est ainsi posée, il convient de chercher si elle se rattache ou non à un discours, à un ordre extérieur : religieux, politique, social... en ne perdant cependant pas de vue que la création romanesque impose sa marque propre, par une écriture *figurée* qui ne procède pas par enchaînement logique de concepts. Chaque écrivain interpose entre les notions et leur figuration textuelle des *réseaux sémantiques* (haut/bas ; ombre/lumière ; sécheresse/humidité...) qui incarnent les valeurs. Cela nous renvoie à l'importance de l'analyse des champs lexicaux et sémantiques.

Il faut aussi être attentif au fait qu'un grand nombre d'écrivains ont pratiqué la contestation ou la subversion des valeurs (de Sade à Guyotat), ce qui a empli les «Enfers» des bibliothèques, et que d'autres, surtout au XXe siècle, ont pratiqué la suspension des valeurs, soit par leur confrontation sans qu'une position claire n'émerge à l'issue du livre, soit par une écriture «neutre».

Intégration des valeurs

L'intégration des valeurs dépend beaucoup du choix de la narration et de la focalisation. Le narrateur peut s'engager, présenter son récit comme véridique et objectif ou non, il peut commenter ou non, insérer des «vérités» sous forme d'énoncés, présentés parfois au présent comme des maximes :

«En se voyant abandonnées, certaines femmes vont arracher leur amant aux bras d'une rivale, la tuent et s'enfuient au bout du monde, sur l'échafaud ou dans la tombe. Cela, sans doute, est beau ; le mobile de ce crime est une sublime passion qui impose à la Justice humaine. D'autres femmes baissent la tête et souffrent en silence ; elles vont mourantes et résignées, pleurant et pardonnant, priant et se souvenant jusqu'au dernier soupir. Ceci est de l'amour, l'amour vrai, l'amour des anges, l'amour fier qui vit de sa douleur et en meurt.»

(H. de Balzac, *Eugénie Grandet*).

D'autres types de narration, homodiégétique ou hétérodiégétique à multiples perspectives, permettent soit d'attirer de la sympathie sur un personnage a priori antipathique puisque l'on saisit «de l'intérieur» ses émotions et ses motivations, soit de confronter les valeurs des différents personnages, sans qu'un narrateur-Dieu ne tranche. Cette dernière technique, très prisée par les romanciers contemporains, permet de laisser le lecteur seul juge.

Dans certains ouvrages, ce rapport perspective-valeurs peut amorcer un piège. Ainsi dans *Le Meurtre de Roger Ackroyd*, l'histoire est racontée par un médecin qui affiche des valeurs très conventionnelles. Il est pourtant le meurtrier...

Le jeu des valeurs s'incarne aussi dans la fiction par le biais des personnages, souvent dès leur nom qui peut symboliser une qualité ou un défaut, avoir des notations positives ou négatives (suffixes en «-ard», «-uffe»...). Philippe Hamon a montré qu'il existait des *axes privilégiés* d'évaluation des personnages dans les romans : le savoir-être et le savoir-faire, le savoir-dire et le savoir-jouir (esthétique). Des romanciers tels Zola soulignent ces axes évaluatifs dans des *scènes de confrontation* entre les personnages ou dans des *scènes symétriques* (lever dans le monde ouvrier et dans le monde bourgeois, repas...). D'un autre point de vue, les correspondances entre rôles actantiels et rôles thématiques peuvent se révéler riches d'enseignement si, par exemple, le statut d'opposant est tenu par des personnages qui réfèrent tous à des catégories similaires : ouvriers, étrangers... Un tableau, mettant en relation actants, personnages positifs et négatifs, rôles thématiques, est un instrument efficace pour mettre en lumière ce que le système de protagonistes produit comme vision de la société...

Les valeurs s'inscrivent aussi fondamentalement dans les *objets de la quête* («les objets de valeur») c'est-à-dire ce qui est recherché, ce qui fait l'objet d'épreuves et de conflits, la sagesse, l'instruction, l'amour, l'argent... Ces objets recherchés, qui définissent les motivations des actions, classent en retour les personnages : intéressés ou désintéressés, mystiques ou matérialistes...

Comme pour les savoirs, dans l'espace énoncif de la fiction, les valeurs peuvent se prêter à des jeux complexes d'être et de paraître, de dissimulation, de modification... transformant un personnage en traître, en converti, en espion, etc. Dans le domaine social ou affectif, Balzac et Maupassant se sont attachés, dans nombre de récits, à ces rapports complexes entre les valeurs de reconnaissance, de fortune et de sentiment – que l'on pense à Rastignac ou à Bel Ami...

Il existe encore d'autres procédures – dans la mise-en-discours – pour intégrer et manipuler les valeurs. Parmi les plus intéressantes, on peut citer l'*ironie* qui va exacerber une position qui est en contradiction avec ce que l'on sait du narrateur ou de l'auteur. Ainsi, dans le troisième chapitre de *Candide*, Voltaire dépeint une bataille de façon apparemment laudative. En fait, c'est l'occasion de faire passer sa critique de la guerre, des gouvernants et de l'Église :

> «Rien n'était si beau, si leste, si brillant, si bien ordonné que les deux armées. Les trompettes, les fifres, les hautbois, les tambours, les canons, formaient une harmonie telle qu'il n'y en eut jamais en enfer. Les canons renversèrent d'abord à peu près six mille hommes de chaque côté ; ensuite la mousqueterie ôta du meilleur des mondes environ neuf à dix mille coquins qui en infectaient la surface. La baïonnette fut aussi la raison suffisante de la mort de quelques milliers d'hommes. Le tout pouvait bien se monter à une trentaine de mille âmes. Candide, qui tremblait comme un philosophe, se cacha du mieux qu'il put pendant cette boucherie héroïque.
>
> Enfin, tandis que les deux rois faisaient chanter des *Te Deum*, chacun dans son camp, il prit le parti d'aller raisonner ailleurs des effets et des causes.»

De façon, plus générale, l'implicite et les choix lexicaux sont des lieux cruciaux du texte pour induire des valeurs sans, pour autant, porter des jugements en tant que tels. Ce qui invite à une lecture attentive de passages comme les descriptions (avec les connotations attachées à tel ou tel trait : blonde, blondâsse, blonde platinée, blonde décolorée...) ou les dialogues qui peuvent caractériser indirectement un personnage par ses hésitations, ses fautes, son niveau de langue...

APPLICATIONS PRATIQUES

1. *Étudiez les procédés utilisés par S. Beckett dans ce passage de* Molloy *pour rendre incertain le savoir communiqué.*

> «A un moment, donné, pré-établi si vous voulez, moi je veux bien, le monsieur revint sur ses pas, prit le petit chien dans ses bras, ôta le cigare de sa bouche et plongea son visage dans la toison orangée. C'était un monsieur, cela se voyait. Oui, c'était un poméranien orangé, plus j'y songe plus j'en ai la conviction. Et pourtant. Or ce monsieur serait-il venu de loin, nu-tête, en espadrilles, un cigare à la bouche, suivi d'un poméranien ? N'avait-il pas plutôt l'air issu des remparts, après un bon dîner, pour se promener et pour

promener son chien, en rêvant et pétant comme le font tant de
citadins, quand il fait beau ? Mais ce cigare n'était-il pas en réalité
un brûle-gueule peut-être, et ces espadrilles des chaussures cloutées
blanchies par la poussière, et ce chien qu'est-ce qui l'empêche
d'être un chien errant qu'on ramasse et prend dans ses bras, par
comparaison ou parce qu'on a erré longtemps seul sans autre
compagnie que ces routes sans fin, que ces sables, galets, marais,
bruyères, que cette nature qui relève d'une autre justice, que de
loin en loin un co-détenu qu'on voudrait aborder, embrasser,
traire, allaiter, et qu'on croise, les yeux mauvais, de crainte qu'il
ne se permette des familiarités.»

2. *Analysez le jeu du savoir dans ce passage de* La vie de Marianne *de
Marivaux, où la narratrice narre ses pensées après avoir reçu, jeune
orpheline, des cadeaux de son «bienfaiteur», M. de Climal.*

«Après cela, me dis-je, M. de Climal ne m'a point encore parlé de
son amour, peut-être même n'osera-t-il m'en parler de longtemps,
et ce n'est point à moi à deviner le motif de ses soins. On m'a
menée à lui comme à un homme charitable et pieux, il me fait du
bien : tant pis pour lui si ce n'est point dans de bonnes vues, je ne
suis point obligée de lire dans sa conscience, et je ne serai complice
de rien, tant qu'il ne s'expliquera pas ; ainsi, j'attendrai qu'il me
parle sans équivoque.
Ce petit cas de conscience ainsi décidé, mes scrupules se dissipèrent
et le linge et l'habit me parurent de bonne prise.
Je les emportai chez Mme Dutour ; il est vrai qu'en nous en
retournant, M. de Climal rendit, par-ci par-là, sa passion encore
plus aisée à deviner que de coutume : il se démasquait petit à petit,
l'homme amoureux se montrait, je lui voyais déjà la moitié du
visage, mais j'avais conclu qu'il fallait que je le visse tout entier
pour le reconnaître, sinon il était arrêté que je ne verrai rien.»

3. *Dans* Le Silence de la mer *(1942) de Vercors, un homme et sa nièce sont
contraints d'héberger un officier allemand. Que pouvez-vous construire sur
les personnages à partir du discours du narrateur, de ce que disent et ne
disent pas les protagonistes, de leurs comportements ?*

«Ma nièce avait ouvert la porte et restait silencieuse. Elle avait
rabattu la porte sur le mur, elle se tenait elle-même contre le mur,
sans rien regarder. Moi, je buvais mon café, à petits coups.
L'officier, à la porte, dit : «S'il vous plaît.»
Sa tête fit un petit salut. Il sembla mesurer le silence. Puis il entra.
La cape glissa sur son avant-bras, il salua militairement et se
découvrit. Il se tourna vers ma nièce, sourit discrètement en
inclinant très légèrement le buste. Puis il me fit face et m'adressa
une révérence plus grave. Il dit : «Je me nomme Werner von
Ebrennac». J'eus le temps de penser, très vite : «Le nom n'est pas
allemand. Descendant d'émigré protestant ?» Il ajouta : «Je suis

désolé». Le dernier mot, prononcé en traînant, tomba dans le silence. Ma nièce avait fermé la porte et restait adossée au mur, regardant droit devant elle. Je ne m'étais pas levé. Je déposai lentement ma tasse vide sur l'harmonium et croisai mes mains et attendis.»

4. *Analysez dans cet extrait du roman de Stendhal,* Le Rouge et le Noir *(1830), le jeu des valeurs. Vous étudierez les rapports entre ce qui est dit et pensé par chacun des personnages, et le rôle de la narration, avec les changements de perspective :*

« "Je me dois d'autant plus, continua la petite vanité de Julien, de réussir auprès de cette femme, que si jamais je fais fortune et que quelqu'un me reproche le bas emploi de percepteur, je pourrai faire entendre que l'amour m'avait jeté à cette place.» Julien éloigna de nouveau sa main de celle de Mme de Rénal, puis il la reprit en la serrant. Comme on rentrait au salon, vers minuit, Mme de Rénal lui dit à mi-voix :
– Vous nous quitterez, vous partirez ?
Julien répondit en soupirant :
– Il faut bien que je parte, car je vous aime avec passion ; c'est une faute… et quelle faute pour un jeune prêtre !
Mme de Rénal s'appuya sur son bras, et avec tant d'abandon que sa joue sentit la chaleur de celle de Julien.
Les nuits de ces deux êtres furent bien différentes. Mme de Rénal était exaltée par les transports de la volupté morale la plus élevée. […] Comme Mme de Rénal n'avait jamais lu de romans, toutes les nuances de son bonheur étaient neuves pour elle. Aucune triste vérité ne venait la glacer, pas même le spectre de l'avenir. Elle se vit aussi heureuse dans dix ans, qu'elle l'était en ce moment. L'idée même de la vertu et de la fidélité jurée à M. de Rénal, qui l'avait agitée quelques jours auparavant, se présenta en vain, on la renvoya comme un hôte importun." Jamais je n'accorderai rien à Julien, se dit Mme de Rénal, nous vivrons à l'avenir comme nous vivons depuis un mois. Ce sera un ami.»

5. *Dans ce passage inaugural de* A l'ombre des jeunes filles en fleurs *de Marcel Proust, essayez d'indiquer ce qui marque et ce qui constitue les valeurs. Le discours du narrateur témoigne-t-il d'une adhésion ou d'une distance ? A quels signes précis le voyez-vous ?*

«Ma mère, quand il fut question d'avoir pour la première fois M. de Norpois à dîner, ayant exprimé le regret que le professeur Cottard fût en voyage et qu'elle-même eût entièrement cessé de fréquenter Swann, car l'un et l'autre eussent sans doute intéressé l'ancien ambassadeur, mon père répondit qu'un convive éminent, un savant illustre, comme Cottard, ne pouvait jamais mal faire dans un dîner, mais que Swann, avec son ostentation, avec sa manière de crier sur les toits ses moindres relations, était un vulgaire esbroufeur que le marquis de Norpois eût sans doute trouvé, selon son expression, «puant». Or cette réponse de mon père demande quelques mots d'explication, certaines personnes se souvenant peut-être d'un Cottard bien médiocre et d'un Swann poussant jusqu'à la plus extrême délicatesse, en matière mondaine, la modestie et la discrétion.»

LECTURES CONSEILLÉES

1. *Sur les savoirs*

BARTHES Roland,
S/Z, Paris, Seuil, 1970.

COMBES Annie,
Agatha Christie. L'écriture du crime, Paris, Les impressions nouvelles, 1989, pp. 229-245.

ECO Umberto,
Lector in fabula, Paris, Grasset, 1985, (réed. Livre de poche, biblio-essais).

KERBRAT-ORECCHIONI Catherine,
L'implicite, Paris, Colin, 1986.

2. *Sur les valeurs*

GREIMAS A.J.,
Sémantique structurale, Paris, Larousse, 1966.
Du Sens, Paris, Seuil, 1970, pp. 7-102.
Du Sens II, Paris, Seuil, pp. 19-48.

GRIVEL Charles,
Production de l'intérêt romanesque, Paris-La Haye, Mouton, 1973.

HAMON Philippe,
Texte et idéologie, Paris, P.U.F., 1984.

MATHIEU-COLAS M,
«Récit et vérité», *Poétique* n° 80, novembre 1989.

REVUE DES SCIENCES HUMAINES, n° 201, 1986, 1.

VIII. L'ouverture du texte : réalisme et transtextualité

L'approche narratologique est – comme nous l'avons vu – une approche *interne* qui considère le texte en lui-même, comme un ensemble clos de signes linguistiques. Néanmoins cette clôture ne saurait être considérée comme absolue. Tout texte, en effet, s'inscrit dans un univers donné et y réfère ; de plus l'auteur et le lecteur, chacun à leur manière, l'investissent de savoirs. Le texte produit donc des effets de renvoi au monde et à d'autres écrits qui sont décodés par le lecteur et participent à la compréhension et à l'interprétation. Ces mécanismes de *référenciation* constituent «l'ouverture» du texte que nous allons maintenant étudier.

1. Le réalisme

Le réalisme est un terme polysémique. Il peut désigner soit un courant littéraire du XIXe siècle, soit l'impression de réel qu'engendre le texte à partir d'un certain nombre de procédés.

C'est le deuxième sens que nous prendrons ici en compte, en n'oubliant pas cependant que les romanciers réalistes et naturalistes ont systématisé et théorisé ces procédés qui ont été intégrés dans le roman jusqu'à nos jours, puisque la majeure partie de la production littéraire donne encore l'illusion «que c'est vrai».

Nous ne devons toutefois jamais négliger qu'il s'agit d'un *effet* de ressemblance entre deux réalités hétérogènes : le monde linguistique du texte et l'univers du hors-texte, linguistique ou non (les objets, les personnes, les événements…). L'*illusion mimétique* n'est donc pas naturelle mais le résultat d'une *construction*. Cette construction s'effectue à partir de quelques axes privilégiés que nous allons brièvement étudier.

La «naturalisation» de la narration

La narration ne doit pas faire obstacle à la croyance en une fiction posée comme vraie. Il faut donc la *justifier*. Deux procédés sont ici à l'œuvre. Soit la justification de l'origine de l'histoire : le narrateur l'a reçue d'une personne digne de foi et à qui cela est véritablement arrivé. Soit l'occultation de l'origine et de toute référence à l'énonciation. La narration se fait «transparente» comme si l'histoire était présente sous nos yeux, sans médiation. Elle existe comme un fait réel. Dans ce second cas, très fréquent, le discours ne porte pas de marque de distance, de modalisation, d'emphase ou d'ironie, il n'intègre pas de commentaires du narrateur trop explicites, il n'apparaît pas comme le produit d'une conscience subjective. Il s'agit d'un discours *sérieux* qui exclut, homologiquement, toute thématique trop euphorique (lieux idylliques, scènes d'amour ou familiale touchantes…) ou trop dysphorique (lieux ténébreux, scènes d'horreur…), à l'opposé du roman feuilleton qui exacerbe cette thématique et la souligne par un discours narratif «émotionnel». En conséquence, les *incipits* ont été particulièrement travaillés par l'écriture réaliste car la justification ou l'effacement de la narration se jouent dès l'entrée dans le texte :

> «Denise était venue à pied de la gare Saint-Lazare, où un train de Cherbourg l'avait débarquée avec ses deux frères, après une nuit passée sur la dure banquette d'un wagon de troisième classe.»

> (E. Zola, *Au bonheur des dames*, 1883).

Il convient cependant de remarquer que les romanciers contemporains ont, au contraire, de plus en plus lié l'effet de réel à une narration homodiégétique. Le réalisme se déplace de la vérité du monde («objectif») à la vérité d'une vision («subjective») du monde. On peut lire, de ce point de vue, des romans tels *Les petits enfants du siècle* de Christiane Rochefort (1961) ou *Elise ou la vraie vie* de Claire Etcherelli (1967).

L'inscription dans l'espace-temps

Tout roman réaliste se présente comme une «tranche de vie», découpée dans l'histoire de «personnes réelles» appartenant à «notre» univers. Pour réaliser cela, il doit donner l'impression qu'il n'est qu'un fragment de temps doté d'un avant et d'un après existant hors de l'espace du récit. Le texte renvoie donc fréquemment à du «passé» (souvenirs, notations sur la famille, l'hérédité, des événements antérieurs...) et à un avenir plus ou moins prévisible (pressentiments, projections d'actions ultérieures...). Cela implique des personnages et des scènes typiques dont la fonction est de justifier ce savoir, ces informations : médecin, prêtre, ami de la famille, ami d'enfance, scènes de conjonction ou de disjonction familiale ou amicale (repas de communion, de mariage, enterrement, brouille...).

L'effet réaliste s'appuie aussi sur les reprises d'indications spatio-temporelles communes au texte et au hors-texte (découpage chronologique, dates, heures, lieux...).

Il se sert souvent d'une intrication entre Histoire et histoire du roman par le biais de personnages «référentiels» apparaissant dans le texte au milieu des personnages fictifs, d'événements retenus par l'Histoire qui constituent des jalons, de lieux où se sont déroulées ces actions. Ce dispositif explique la récurrence des noms, de lieux ou de personnes, favorisant un sentiment d'identité entre fiction et réel. En revanche, cela exclut tout épisode en contradiction avec notre savoir historique (un personnage ne peut assassiner le Général de Gaulle en 1952) même si cela autorise des variations sur les «zones d'ombre» comme en commet incessamment le roman d'espionnage...

Motivation et vraisemblable

L'effet réaliste s'appuie encore sur un grand souci du vraisemblable et de la motivation. Il tend à exclure aussi bien l'extraordinaire que les incohérences ou l'ambiguïté.

Cela explique l'importance de la motivation psychologique des personnages qui justifie la trame fictionnelle. Le système «cause-conséquence» est fondamental pour l'enchaînement des actions.

La motivation s'étend aux noms de personnages et de lieux, soit par leurs connotations nationales ou sociales, soit par leur banalité ou leur prosaïsme «adapté» à leur condition, soit par des explica-

tions sur leur origine. Cela implique.des scènes récurrentes (baptê-
mes, présentations, visites d'un lieu…) et des personnages chargés
de «naturaliser» la circulation de ce savoir (philologues,
généalogistes, guides…).

La redondance fixe la motivation et élimine les ambiguïtés, que ce
soit par la répétition pure et simple ou par la réitération d'informations sous des formes différentes. Ainsi le personnage se définit par
une accumulation d'éléments identiques donnés à l'occasion de ses
activités privées et professionnelles, de ses lieux de vie et de
travail… La métonymie est une figure privilégiée et se réalise lors
de scènes d'aménagement et de déménagement qui manifestent
l'être ou les transformations du personnage.

Les personnages sont explorés dans leurs dimensions les plus
quotidiennes (lever, coucher, repas…), ce qui explique le reproche
de prosaïsme ou de vulgarité parfois porté à l'encontre de ces textes.
Le souci est de «démonter» les personnages, de comprendre leurs
«ressorts», leurs «rouages». Cela limite conséquemment la place du
héros, au sens traditionnel du terme, et entraîne une répartition des
rôles et des qualifications, positives et négatives, sur un plus grand
nombre d'acteurs. Cela tend aussi à limiter les distorsions entre le
paraître et l'être (pas de révélation ou de reconnaissance brutale et
surprenante comme dans le mélodrame) et la complexité des réactions. Lorsque c'est le cas, le texte recourt alors à une paraphrase
explicative.

Complémentairement, l'effet réaliste va tendre à réduire les
incertitudes du récit (suspense, retards, leurres, effets de surprise)
qui risqueraient de nuire à la motivation et à la vraisemblance.
L'intérêt est porté aux déterminations, à la motivation des
enchaînements et non à ce qui les conteste ou les suspend.

Enfin, la motivation peut provenir d'un «excès» du fonctionnel,
même très restreint. C'est le cas du «détail» qui n'a pas d'utilité
narrative : il sert essentiellement à donner l'impression que c'est
réel, que cela n'a pas pu être inventé, que «c'est bien comme cela»…

Le souci didactique

Le souci didactique accompagne l'effet réaliste. Les informations
et le savoir justifient et expliquent le monde de la fiction ; en retour,
l'illusion réaliste cautionne la justesse du savoir donné dans le texte.

Ce souci informatif se manifeste par des renvois constants à l'image sous forme d'illustrations, de diagrammes ou de plans intégrés au récit ou sous forme de références. Ce que le texte produit comme représentations s'appuie sur la caution du *visible* (le thème du regard et, plus tard, de la photographie sont importants).

Certains personnages sont posés comme des garants de l'information. Le réalisme se nourrit de spécialistes (médecins, peintres, techniciens...) qui expliquent à des non-spécialistes (de même que l'auteur veut expliquer au lecteur dans des scènes-prétextes à la mise en œuvre du savoir). On comprend mieux la place respectable des descriptions ou des séquences explicatives, le recours à un vocabulaire technique ou à des idiolectes professionnels.

En fait, l'effet réaliste présente le texte comme s'il était un homologue des discours de savoirs (historique, scientifique...) et évaluable à l'aune du vrai-faux ou du vérifiable-non vérifiable. Les titres et les sous-titres soulignent cette volonté (histoire, chronique, morphologie, physiologie...) ainsi que certaines préfaces ou postfaces. Le cas limite est celui du roman-document qui cite explicitement ses sources en appendice (témoins et documents) comme Norman Mailer dans *Le Chant du bourreau* (Laffont, 1980) qui narre la vie et l'exécution de Gary Gilmore aux U.S.A.

Cette volonté de faire (ou d'être) vrai et le souci didactique qui l'accompagne se nourrissent fréquemment d'un désir de totalité. Il se concrétise par des trajets exhaustifs : de la naissance à la mort, de l'échec à la victoire, du haut en bas de l'échelle sociale... comme si la saisie des extrêmes garantissait un savoir complet sur le sujet traité. Il se caractérise aussi par la pléthore des détails et le souci des classements et des inventaires, comme s'il ne fallait rien laisser échapper, ce qui engendre des descriptions d'une grande longueur. On peut se reporter à nombre de pages de Zola, dans *Le Ventre de Paris* (1873), pour avoir une idée de cette «tentative d'épuisement du réel».

Philippe Hamon synthétise ces données à partir d'un «cahier des charges» sur lequel reposerait le projet réaliste.

LE «CAHIER DES CHARGES» RÉALISTE

«1 – Le monde est *riche*, divers, foisonnant, discontinu, etc. ;

2 – je peux *transmettre une information* (lisible, cohérente) au sujet de ce monde ;

3 – la langue peut *copier* le réel ;

4 – la langue est *seconde* par rapport au réel (elle l'exprime, elle ne le crée pas), elle lui est «extérieure» ;

5 – le *support* (le message) doit s'effacer au maximum (la «maison de verre» de Zola) ;

6 – le *geste* producteur du message (style, énonciation, modalisation) doit s'effacer au maximum ;

7 – mon lecteur doit *croire* à la *vérité* de mon information sur le monde».

(Ph. Hamon, *Un discours contraint*, dans *Littérature et réalité*).

2. La transtextualité

C'est aujourd'hui un lieu commun de la critique de considérer que tout texte renvoie implicitement ou explicitement à d'autres textes. Ce phénomène appelé en général intertextualité, est baptisé *transtextualité* par Gérard Genette dans son ouvrage *Palimpsestes*. Allant plus loin que ce simple constat, il a tenté de formaliser les différents types de relations transtextuelles. Il en distingue ainsi cinq que nous évoquerons avant d'ajouter quelques remarques à propos des stéréotypes et du réalisme.

L'intertextualité

G. Genette réserve le terme d'*intertextualité* à la coprésence de deux ou plusieurs textes, c'est-à-dire pour simplifier, à la présence effective d'un ou plusieurs textes dans un autre texte. Cela peut comprendre la *citation* qui en est la forme la plus littérale et la plus explicite, le *plagiat*, littéral mais non avoué, ou l'*allusion* moins littérale et moins explicite. Il faut remarquer que ces phénomènes, très fréquents, ont été exacerbés par des écrivains du XVIe siècle tels Montaigne ou Rabelais et, en général, par les auteurs «classiques». Plus tard, l'intertextualité demeure importante mais tend à s'euphémiser sous forme de «clins d'œil» littéraires. Une autre forme possible de l'intertextualité est la *reprise*, dans une série ou dans un cycle, d'éléments issus d'ouvrages antérieurs : personnages, actions… Ainsi, ce passage de *L'Œuvre*, résume une partie de l'intrigue de *L'Assommoir* et du *Ventre de Paris* :

«C'était à l'âge de neuf ans que Claude avait eu l'heureuse chance de pouvoir quitter Paris, pour retourner dans le coin de Provence où il était né. Sa mère, une brave femme de blanchisseuse, que son fainéant de père avait lâchée à la rue, venait d'épouser un bon ouvrier, amoureux fou de sa jolie peau de blonde. Mais, malgré leur courage, ils n'arrivaient pas à joindre les deux bouts. Aussi avaient-ils accepté de grand cœur, lorsqu'un vieux monsieur de là-bas s'était présenté, en leur demandant Claude qu'il voulait mettre au collège, près de lui (…).»

Du point de vue méthodologique, il convient de ne pas s'en tenir au repérage des emprunts mais d'en étudier l'intégration dans le texte, les transformations éventuelles et les fonctions qui peuvent être très variées, de la révérence à l'ironie, de la valorisation à la disqualification d'un personnage…

La paratextualité

Pour Genette, la *paratextualité* qu'il a approfondie dans son ouvrage, *Seuils* désigne les relations du texte au hors-texte du livre lui-même : titres, sous-titres, intertitres, préfaces, postfaces, avertissements, notes, épigraphes, illustrations, bande, jaquette, couverture et aussi «avant-texte» (brouillons, esquisses…). Comme on le voit il s'agit d'un ensemble hétérogène comprenant l'écrit et l'image présents dans le livre ou précédant la version définitive du texte, comprenant aussi des constituants dus à l'auteur ou dus à d'autres (sous son contrôle ou non, avant ou après sa mort…).

Ces composantes sont importantes car elles déterminent en grande partie le choix de l'ouvrage, la lecture et les attentes du lecteur. Elles sont aussi essentielles pour l'histoire littéraire car le livre lui-même change de forme au cours des siècles (apparition de la couverture, des titres…) et modifie les pratiques concrètes de lecture.

L'étude de l'avant-texte a déterminé une discipline, la *génétique textuelle*, qui étudie au plus près le travail d'un écrivain, la nature des modifications qu'il effectue sur son texte et leurs causes.

Enfin, l'auteur lui-même peut induire des sens dès le titre, clair ou énigmatique, l'exergue ou l'avertissement…

La métatextualité

La *métatextualité* désigne la relation de commentaire qui unit un texte à un autre texte dont il parle. Il s'agit essentiellement de la relation critique.

Cette relation peut s'inscrire dans un roman. Elle devient alors proche de l'intertextualité. C'est le cas de récits qui intègrent dans leur corps les théories de leur auteur ou d'autres sur le roman ; c'est aussi le cas d'autobiographies plus ou moins fictionnelles qui inscrivent les réactions critiques dans l'histoire narrée ; Ph. Sollers en use largement, J. Kristeva le fait dans *Les Samouraïs* (Fayard, 1990) et S. Doubrovsky insère dans *Le Livre brisé* (Grasset, 1989) ses commentaires critiques sur l'œuvre de Sartre.

La métatextualité peut aussi être reprise, comme publicité, dans le paratexte. Ainsi, il est fréquent de voir des citations issues de critiques sur le livre, sur la quatrième page de couverture. Comme on le voit les relations transtextuelles se nourrissent mutuellement, se complexifient et se détournent...

Il reste encore un cas de métatextualité fictionnelle répandue dans le roman contemporain : celui où, par une mise en abyme, le narrateur commente ou fait commenter par d'autres le roman qui s'écrit...

L'hypertextualité

Cette relation unit un texte B, appelé *hypertexte*, à un texte antérieur A, appelé *hypotexte*, sur lequel il se greffe d'une autre façon que celle du commentaire critique.

Dans ce continent très vaste des textes au second degré, G. Genette opère nombre de distinctions selon la *relation* (d'imitation ou de transformation) et le *régime* (ludique, satirique ou sérieux). Les catégories les plus connues sont celles de *pastiche* (qui imite le style), de *parodie* et de *transposition* (fréquente dans le cas des mythes incessamment réactualisés : Faust, Dom Juan, Antigone...).

Ici encore, l'analyse se doit d'affiner les procédés utilisés. Ainsi la parodie peut user d'exagérations, d'oppositions (entre les personnages ou les actions et le style), de transpositions dans un autre espace-temps, etc.

D'autre part, il ne faut jamais perdre de vue que cette relation peut être manifeste ou non, ce qui explique que certains lecteurs peuvent la méconnaître, surtout s'ils ignorent l'hypotexte.

D'un autre point de vue encore, cette relation est souvent ambivalente : se moquant ou critiquant des œuvres antérieures, elle consacre en même temps leur notoriété.

Il faut aussi noter que l'hypertextualité peut engendrer des *dérives* comme dans le cas déjà rencontré de G. Lascault avec *Le petit*

Chaperon rouge, partout. Un hypotexte sert de base à des variations et à des rêveries pour engendrer une multitude d'hypertextes.

L'architextualité

L'*architextualité* est la relation la plus abstraite et souvent la plus implicite, parfois notée par une simple indication paratextuelle (Essai, Roman…). Elle renvoie au *genre* et est fondamentale aussi bien pour la construction du texte que pour les attentes du lecteur et son mode de lecture.

En fait, cette relation est fortement marquée dans la production de masse par la couverture, le titre, l'incipit, les personnages, le scénario, etc. Elle tend à être euphémisée dans la production littéraire légitime. De surcroît, la notion de *genre* est à la fois l'une des plus utiles et utilisées et l'une des plus difficiles à définir et des plus variables selon l'époque et le public. Elle mélange en effet des indications de contenu, de forme et d'effet.

La transtextualité généralisée

Les relations codifiées par Genette renvoient principalement aux rapports entre textes littéraires. Mais les romans réfèrent incessamment à d'autres discours sociaux (quotidiens, politiques, scientifiques…). Ce constat engage une attention à trois types de phénomènes au moins.

Le *réalisme* se constitue aussi par une référence à du déjà vu, du déjà connu, du déjà dit. Il se fonde sur un effet de reconnaissance qui, dans de nombreux cas, passe par les *clichés*, les *lieux communs*, les *expressions figées*… Ce qui est reconnu ce n'est pas le réel en tant que tel mais une façon d'en parler, un discours qui le désigne. Le repérage de ces éléments de la *doxa*, leur quantité et leur utilisation, est une composante importante de l'analyse des textes. Cela d'autant plus que stéréotypes et lieux communs ont été – à partir du XIXe siècle – une obsession des écrivains qui voulaient s'en démarquer (voir *Le Dictionnaire des idées reçues* ou *Bouvard et Pécuchet*, de Flaubert). Le réalisme a été souvent dénoncé comme une «vision conformiste» du réel, ce qui explique les oppositions ou les volontés incessantes de transformation des codes de représentation.

Nous avons aussi vu que les romans pouvaient défendre ou

illustrer une thèse, littéraire, politique ou scientifique. Dans ce cas, la transtextualité devient *assujettissement* du texte du roman. Il convient cependant d'être prudent dans l'analyse car l'écriture elle-même peut «gauchir» le roman, introduire des contradictions non pensées par l'écrivain et, du coup, engendrer d'autres réceptions. C'est le cas pour des romans célèbres tels *René* de Chateaubriand ou *Les Paysans* de Balzac. Le commentaire doit donc soigneusement confronter le *projet* de l'auteur et le texte tel qu'il est réalisé.

Enfin, dans la majeure partie des cas, le roman mélange nombre de discours, sociaux et littéraires, hétérogènes et contradictoires. C'est d'ailleurs un des critères que retient le théoricien soviétique M. Bakhtine, à partir de l'étude de Rabelais ou de Dostoïevsky, pour définir le roman comme *dialogique* en l'opposant à l'épopée *monologique* qui réalise un discours unique correspondant à un code dominant de la société. A la Loi univoque, le roman oppose la multiplicité de ses voix, le dialogue incessant entre les discours et les textes. Il revient donc à l'analyste de répertorier ces voix et leur organisation dans le texte : qui les supporte, par quels modes narratifs et par quels personnages elles passent, quels effets de sens elles produisent...

APPLICATIONS PRATIQUES

1. *Quels procédés sont à l'œuvre dans l'incipit d'*Illusions perdues *de Balzac (1843) pour donner l'impression réaliste ?*

> «A l'époque où commence cette histoire, la presse de Stanhope et les rouleaux à distribuer l'encre ne fonctionnaient pas encore dans les petites imprimeries de province. Malgré la spécialité qui la met en rapport avec la typographie parisienne, Angoulême se servait toujours des presses en bois, auxquelles la langue est redevable du mot *faire gémir la presse*, maintenant sans application. L'imprimerie arriérée y employait encore les balles en cuir frottées d'encre, avec lesquelles l'un des pressiers tamponnait les caractères. Le plateau mobile où se place la *forme* pleine de lettres sur laquelle s'applique la feuille de papier était encore en pierre et justifiait son nom de *marbre*. Les dévorantes presses mécaniques ont aujourd'hui si bien fait oublier ce mécanisme, auquel nous devons, malgré ses imperfections, les beaux livres des Elzevier, des Plantin, des Alde et des Didot, qu'il est nécessaire de mentionner les vieux outils auxquels Jérôme-Nicolas Séchard portait une superstitieuse affection ; car ils jouent leur rôle dans cette grande petite histoire.»

2. *Comparez précisément cet extrait avec les textes de M. Duras, notamment* Moderato cantabile *(1958). Quel type de relation transtextuelle met-il en jeu ? Sur quels signes précis fondez-vous votre réponse ?*

> «Ils se taisent. Ils ne se parlent pas. Lui, il ne lui dit rien, à elle. Elle, est distraite comme elle est muette. Il a froid. Ses lèvres à elle sont gercées. Elle regarde autour d'elle, et elle, elle voit déjà la lumière jaune du Bar des Amis. Il n'y avait que ça à voir, dans l'obscurité, cette lumière-là.
> A l'intérieur, les tables sont posées comme pour ceux qui voudraient s'y asseoir d'y devant, et puis il y a le comptoir, et puis il y a les bouteilles derrière le comptoir. On les regarde. Tout à coup, le Patron, devant nous, avec son tablier bleu, qui nous regarde aussi, lui, comme si on devait s'installer à ses tables, comme si tout était ordonné près du calorifère là on pouvait réchauffer les mains glacées quand dehors il y avait le froid.»
> (Marguerite Duraille, *Virginie Q.*, roman présenté par P. Rambaud, Paris, Balland, 1988).

3. *A quel genre vous fait penser ce passage ? Par le biais de quels clichés ? S'agit-il simplement d'une relation d'architextualité ?*

> "Puis le silence est bien lourd pendant quelques instants, on ploie sous des dizaines d'"atmosphères, c'est étouffant, on respire mal, c'est le moment idéal pour que la porte d'entrée s'ouvre très brusquement, pour que paraisse dans l'embrasure la haute silhouette

sombre du colonel Seck, tout de bleu nuit vêtu comme à l'accoutumée. Serré dans son puissant poing noir, un Colt Diamonback chromé luit de tous ses feux, unique éclat dans le demi-jour, comme un solitaire brille sur le fourreau d'une femme fatale.»
(J. Echenoz, *Lac*, Paris, Minuit, 1989).

LECTURES CONSEILLÉES

1. *Sur le réalisme*

AUERBACH Erich,
    Mimesis. La représentation de la réalité dans la littérature occidentale, 1946, Paris, Gallimard, 1968.

BARTHES Roland, BERSANI Léo, HAMON Philippe, RIFFATERRE Michael, WATT Ian
    Littérature et réalité, Paris, Seuil, 1982.

GENETTE Gérard,
    «Vraisemblance et motivation», dans *Figures II*, Paris, Seuil, 1969.

POÉTIQUE n° 16, *Le Discours réaliste*, 1973.

2. *Sur la transtextualité*

AMOSSY Ruth et ROSEN Elisheva,
    Les discours du cliché, Paris, CDU et SEDES, 1982.

BAKHTINE Mikhaïl,
    L'œuvre de François Rabelais et la culture populaire au moyen-âge et sous la renaissance, Paris, Gallimard, 1970.

BELLEMIN-NOËL Jean,
    Le texte et l'avant-texte, Paris, Larousse, 1972.

GENETTE Gérard,
    Palimpsestes, Paris, Seuil, 1982.
    Seuils, Paris, Seuil, 1987.

SCHAEFFER Jean-Marie,
    Qu'est-ce qu'un genre littéraire ? Paris, Seuil, 1989.

Commentaires de textes

I. Le début de *Bel-ami* de Maupassant

«Quand la caissière lui eut rendu la monnaie de sa pièce de cent sous, Georges Duroy sortit du restaurant. Comme il portait beau, par nature et par pose d'ancien sous-officier, il cambra sa taille, frisa sa moustache d'un geste militaire et familier, et jeta sur les dîneurs attardés un regard rapide et circulaire, un de ces regards de joli garçon, qui s'étendent comme des coups d'épervier.

Les femmes avaient levé la tête vers lui, trois petites ouvrières, une maîtresse de musique entre deux âge, mal peignée, négligée, coiffée d'un chapeau toujours poussiéreux et vêtue d'une robe toujours de travers, et deux bourgeoises avec leurs maris, habituées de cette gargote à prix fixe.

Lorsqu'il fut sur le trottoir, il demeura un instant immobile, se demandant ce qu'il allait faire. On était au 28 juin, et il lui restait juste en poche trois francs quarante pour finir le mois. Cela représentait deux dîners sans déjeuners, ou deux déjeuners sans dîners, au choix. Il réfléchit que les repas du matin étant de vingt-deux sous, au lieu de trente que coûtaient ceux du soir, il lui resterait, en se contentant des déjeuners, un franc vingt centimes de boni, ce qui représentait encore deux collations au pain et au saucisson, plus deux bocks sur le boulevard. C'était là sa grande dépense et son grand plaisir des nuits ; et il se mit à descendre la rue Notre-Dame de Lorette.

Il marchait ainsi qu'au temps où il portait l'uniforme des hussards, la poitrine bombée, les jambes un peu entr'ouvertes comme s'il venait de descendre de cheval ; et il avançait brutalement dans la rue pleine de monde, heurtant les épaules, poussant les gens pour ne point se déranger de sa route. Il inclinait légèrement sur l'oreille son chapeau à haute forme assez défraîchi, et battait le pavé de son talon. Il avait toujours l'air de défier quelqu'un, les passants, les maisons, la ville entière, par chic de beau soldat tombé dans le civil.»

L'*incipit* désigne la première phrase des romans. Mais progressivement les critiques se sont servis de ce terme pour référer au *début*, sans que les limites en soient d'ailleurs nettement indiquées. C'est en ce sens, élargi, que nous traiterons de l'incipit de *Bel-Ami* de Guy de Maupassant.

1. Commencer un roman

Le début des romans a suscité de nombreux commentaires car c'est un lieu stratégique du texte qui programme le mode de lecture et doit résoudre une tension entre *informer* et *intéresser*.

En effet le romancier doit construire le monde fictionnel du récit. Il est alors du côté de l'informatif, de l'explicatif, du descriptif. Mais il lui faut aussi intéresser d'entrée de jeu le lecteur, le faire entrer le plus vite possible dans le narratif proprement dit, dans l'histoire.

Maupassant choisit une narration par un narrateur omniscient non figuré, récit à la troisième personne et au passé. Le lecteur est introduit d'emblée dans un univers réaliste avec des actions «courantes» (payer au restaurant, marcher dans la rue…), des personnages nommés ou socialement typés, des dates et des lieux correspondant à notre «monde», etc.

La présentation de cet univers ne se fait pas au détriment de l'intérêt narratif. Il s'agit d'une entrée *in medias res* : le récit commence à la fin d'un processus (payer après avoir mangé au restaurant). Cela présente deux avantages. D'une part le lecteur a l'impression d'être dans une phase *dynamique*, d'autre part le monde est posé comme évident, puisque le récit semble débuter *au cours* d'une action ayant commencé antérieurement. Par ailleurs, le personnage principal, l'*hyper-thème*, qui soutiendra tout l'intérêt du récit, est immédiatement présenté au lecteur.

Dès lors, l'informatif et l'explicatif sont *motivés*, subordonnés à cet intérêt pour Georges Duroy : c'est le cas pour sa description, ses pensées et les notations concernant son passé.

2. La programmation du roman

Tout début mérite d'être analysé précisément car il *programme* la suite du texte : il dispose des éléments qui seront des points de référence, des indices qui seront constamment repris par le récit.

Il est ainsi particulièrement significatif que la première phrase de *Bel-Ami* mette en rapport – et dans un rapport marchand – Duroy et une femme. De fait, il «arrivera» socialement et financièrement par les femmes qui seront, à chaque fois, d'une position plus élevée et qui lui permettront d'augmenter son prestige et son capital.

L'action initiale se déroule dans un restaurant de bas étage et Georges Duroy doit se restreindre dans les jours à venir. Nous savons tout de suite que le personnage part de presque rien (du trottoir où il marche), possède à peine de quoi manger, et ne séduit encore que des femmes au statut peu valorisé (troisième paragraphe). Cela servira de point de référence pour l'ascension de Duroy qu'expose le roman et que les *thèmes* des repas et de la séduction viendront jalonner incessamment.

Sa description expose sans ambiguïté l'homme à femmes, celui qui, sous le surnom de *Bel-Ami,* séduira la demi-mondaine Mme de Marelle, l'épouse du journaliste : Madeleine Forestier, la femme du propriétaire de *La Vie française* Mme Walter, et enfin épousera la fille de cette dernière, Suzanne Walter. Trois motifs, récurrents dans la suite du roman, sont mis en place : la moustache, le regard et l'épervier. De fait, les femmes sont ses proies, telle Madeleine Forestier :

> «Il avait saisi la tête de sa main droite glissée derrière elle, et il la tournait vers lui. Puis il se jeta sur sa bouche comme un épervier sur une proie.»

> (Deuxième partie, chapitre 1)

ou Mme Walter :

> «Dès qu'il eut refermé la porte, il la saisit comme une proie.»

> (Deuxième partie, chapitre 4)

Le quatrième paragraphe pose plusieurs jalons : la date initiale à partir de laquelle le lecteur pourra suivre l'ascension de Duroy et son *rythme*, le lieu d'où il part (le trottoir et le quartier : ses lieux d'habitation successifs soulignent ses changements de statut) et ses préoccupations. En ce jour, il ne pense qu'à «comment survivre ?» ;

petit à petit, il développera sa soif de puissance. De surcroît, cette incursion dans ses pensées le montre en train de *compter*. Il s'agit presque d'un «concentré» de sa personnalité : ce personnage est un *calculateur*.

Le cinquième paragraphe est tout aussi intéressant à étudier dans sa dimension programmative. La marche «brutale» qui ne s'occupe que de sa route et écarte les importuns est une métaphore des moyens qu'il emploiera pour parvenir sans scrupules, éliminant ceux qui le dérangent. Le thème du *défi* est là : il s'agit de conquérir «la ville entière». Nous sommes dans un roman de l'ascension sociale, du parvenu.

Il faut encore dire un mot du *nom*. Indiquer le nom du personnage principal, dès la première phrase, est un procédé romanesque courant. Cela permet de signaler son importance, d'*ancrer* sa description, de favoriser sa mémorisation. Cela est d'autant plus important en l'occurrence que le nom et ses changements rythmeront aussi l'ascension de ce «héros» avec, au moins, deux étapes essentielles : le surnom de *Bel-Ami* qui consacre sa séduction auprès des femmes et l'anoblissement qui marque sa réussite : Baron Georges du Roy de Cantel. Le nom initial se transforme par *ajout* d'un titre et d'un domaine (fictif) et par *segmentation*.

3. Début et fin

Les fonctions de l'incipit s'évaluent par des mises en relation avec d'autres niveaux ou d'autres lieux stratégiques du texte. Nous allons en étudier brièvement trois exemples.

Un roman peut – par choix narratif – s'ouvrir sur n'importe quel moment de l'intrigue, n'importe quelle étape du schéma quinaire. Dans ce roman, assez classiquement, le début correspond à l'*état initial*, moment où le personnage est au plus bas, point de départ de son ascension. Cela n'empêche nullement des *analepses* externes, concernant son passé, avant ce point inaugural, dans la suite du premier chapitre lorsqu'il explique à Forestier comment il en est arrivé là ou, dans le sixième chapitre de la première partie, lorsqu'il se remémore son enfance et les repas familiaux. L'*ordre* est cependant globalement chronologique, correspondant à *une histoire de vie*.

Si chaque chapitre correspond à une unité, ce qui est accentué ici par la progression sociale de Duroy, il est aussi intéressant de comparer début et fin de chapitre. A la fin de ce premier chapitre, la complication a eu lieu : Duroy a rencontré le journaliste Forestier, son ascension va commencer. Déjà les éléments initiaux se sont modifiés : il parcourt encore la foule mais il a de l'argent (prêté par Forestier) et ses repas du lendemain sont assurés ; il est invité par une prostituée qui accepte d'être payée en dessous du «tarif» (sa séduction s'exerce, bien qu'au plus bas de l'échelle sociale) ; il pense à se procurer («en location») un costume de soirée pour le lendemain (l'avenir se précise).

Il est encore plus intéressant de comparer le début du roman (l'incipit) et sa fin (la clausule). Cela permet d'évaluer ce qui s'est modifié, le chemin parcouru par les personnages du texte. Dans le cas de *Bel-Ami* les transformations sont patentes. Georges Duroy – devenu du Roy de Cantel – est certes dans le même quartier, mais il ne sort plus d'une gargote, il quitte l'église de la Madeleine. Il n'est plus seul mais marié à la richissime Suzanne Walter, «caissière» d'une autre portée puisque son père est devenu un des financiers les plus importants de Paris. Il marche toujours «la tête haute» et son regard est encore mentionné ainsi que son égocentrisme : «Il ne voyait personne. Il ne pensait qu'à lui». Cette fois-ci la foule s'est pressée pour le voir et ses calculs portent sur son avenir au Palais-Bourbon. De façon significative la dernière phrase – comme la première – renvoie à une femme, sa maîtresse, la demi-mondaine Mme de Marelle qu'il conserve – malgré plusieurs ruptures – du début à la fin du roman. Georges Duroy est bien «arrivé» par les femmes, mais celle qu'il garde, quels que soient ses changements sociaux, témoigne sans doute de son origine et de sa sensualité fondamentale (le dernier mot du roman est «lit»).

Il est aussi possible, par ce trajet et cette fin, de rattacher *Bel-Ami* à Rastignac. Le défi final de Rastignac dans *Le Père Goriot* est proche de celui de Georges Duroy même si celui-ci est plus près du triomphe. Nous touchons ici à des problèmes d'*intertextualité*. Le roman s'ouvre à d'autres textes et suscite des échos. L'incipit et la clausule organisent les limites du récit mais le rattachent aussi à l'histoire littéraire...

LECTURES CONSEILLÉES

DUCHET Claude,
    «Pour une socio-critique, ou variation sur un incipit, *Littérature* n° 1, février 1971.

JEAN Raymond,
    «Ouvertures, phrases seuils», *Critiques* n° 27, 1976.

VERRIER Jean,
    Les débuts de romans, Paris, Bertrand Lacoste 1988.

II. Étude d'un roman : *Germinal* de Zola

Trois raisons principales ont guidé notre choix de *Germinal*. En premier lieu ce roman a été considéré comme une réalisation exemplaire de l'esthétique *naturaliste* dont nous avons vu l'importance dans l'histoire du roman et dans la constitution des codes qui imprègnent encore nos modes de lecture et d'écriture. En second lieu, depuis sa parution et jusqu'à nos jours, ce livre n'a cessé de susciter des réactions violentes et opposées, certains y voyant un modèle d'ouvrage de critique sociale, d'autres au contraire un texte conservateur et petit bourgeois. Enfin, et confirmant ce deuxième trait, *Germinal* est l'un des ouvrages les plus vendus en éditions de poche.

Nous essaierons de voir si l'application des catégories de l'analyse du récit permet d'émettre des hypothèses expliquant la survie et l'intérêt constant de cet ouvrage.

1. La fiction – les actions

Deux histoires se construisent et se nouent dans *Germinal*. La première, collective, oppose les mineurs au patronat. Elle correspond aux premières lignes de *L'Ébauche* de Zola qui assigne à ce texte une fonction allégorique :

> «Ce roman est le soulèvement des salariés, le coup d'épaule donné à la Société, qui craque un instant : en un mot la lutte du

capital et du travail. C'est là qu'est l'importance du livre, je le veux prédisant l'avenir, posant la question la plus importante du XXe siècle.» (*Les Rougon-Macquart*, Ed. Gallimard, Bibliothèque de la Pléiade, t. III, p. 1825).

La seconde histoire est celle du personnage principal, Etienne Lantier, dont la marche ouvre et clôt le livre.

Les deux histoires se nouent mais ne se confondent pas. Si nous prenons la lutte collective comme objet d'analyse, il est possible de proposer le *schéma quinaire* suivant :

– *État initial* : dans le monde de la mine, les rapports sont figés ;

– *Complication* : la direction voulant séparer le paiement du boisage et du charbon, la décision de la grève est prise ;

– *Dynamique* : le conflit s'étend avec des affrontements violents ;

– *Résolution* : après une répression sévère, les mineurs reprennent le travail ;

– *État final* : les rapports sont apparemment similaires à ceux du début mais quelque chose restera de cet affrontement annonçant des changements futurs.

Si nous suivons plutôt l'histoire singulière d'Etienne Lantier, le schéma quinaire pourrait être le suivant, légèrement différent :

– *État initial* : Lantier est un ouvrier chassé, solitaire, sans gîte et sans travail ;

– *Complication* : il entre dans le monde des mineurs ;

– *Dynamique* : il s'intègre dans ce monde et devient le meneur de la grève ;

– *Résolution* : il repart de la mine vers Paris appelé par les responsables révolutionnaires ;

– *État final* : il est appelé, il a un but et des espoirs individuels et collectifs.

Ces deux modèles schématisent à l'extrême les actions de *Germinal*. Ils permettent cependant d'organiser la multitude des séquences et de repérer des *symétries* que concrétisent certaines scènes : celles de l'arrivée et du départ d'Etienne, celles de la négociation (IV, 2) et de la répression (VI, 5)... Ils peuvent aussi engendrer une première question sur le «décalage» entre la répression et la reprise du travail, le départ d'Etienne, etc., qui prend la forme du sabotage effectué par Souvarine, de l'éboulement, du sauvetage (VII, 2, 3, 4, 5). Cette expansion permet – entre autres – trois choses : le monde de la mine (dominants et dominés) peut se reformer dans le sauvetage par la solidarité ; le conflit entre Etienne et Chaval est définitivement réglé ainsi que l'histoire amoureuse avec Catherine ; Etienne peut repartir «pardonné» par les ouvriers. De plus, les solutions individuelles (le sabotage de Souvarine, l'assassinat de Cécile par Bonnemort) ont montré qu'elles ne changeaient rien en profondeur...

Ces deux schémas manifestent aussi ce qui n'a pas changé entre le début et la fin et ce qui est en transformation, en gestation. A l'affirmation d'un individu (Lantier) répond une modification de la conscience ouvrière : les paroles finales de la Maheude ne sont plus celles, initiales, de Bonnemort qui répétaient une résignation et une absence d'espoir.

2. Les personnages

Quêtes et oppositions

A un niveau très général, c'est la force des oppositions qui s'impose dans *Germinal*. Oppositions entre les mineurs et le patronat, opposition entre Etienne et Chaval...

Une étude plus précise peut soulever quelques problèmes intéressants. Ainsi la *quête* des mineurs (gagner plus, vivre mieux) ne se révèlera qu'*en réaction* aux mesures de la direction, manifestant elles-mêmes des *objets* complexes (faire plus de profit, mieux «dompter» les ouvriers, ne pas augmenter ses stocks... III, 4). La *quête* d'Etienne est au moins double ; trouver sa place sur le plan social, «conquérir» Catherine sur le plan amoureux. De surcroît, dans les deux cas, elle ne se révèle que *progressivement*. La grève, enjeu vital pour les mineurs, est un révélateur pour Etienne qui se construira des *objets* qu'il n'arrivera à conquérir qu'après la fin de la grève ou dans un futur aléatoire (être «un chef écouté» comme Pluchart). Il est aussi significatif de noter que les rôles de *destinateur* et *destinataire* dans la quête du patronat sont peu individualisés : il s'agit du «pouvoir dans l'ombre», du «dieu repu et inaccessible» «tapi dans son tabernacle», figure mythique d'une lutte inégale, de structures industrielles et financières de plus en plus complexes, échappant à la vision directe et angoissant les travailleurs.

Des catégories de Claude Brémond, nous retiendrons ici la place de *patient* qui nous paraît caractériser les mineurs avant la grève et leur résignation, exacerbée par les plus dominées, les femmes :

> «Elle [Catherine] demeura stupéfaite, bouleversée dans ses idées héréditaires de subordination, d'obéissance passive.» (I, 4).

En fait, avant la grève, les *agents* sont, soit les dominants, soit des révoltés marginaux (Etienne). Il faudra la grève pour transformer les mineurs en *agents futurs*.

La complexité du système des personnages

En réalité, le système des personnages dans *Germinal* ne peut se réduire à ces oppositions trop simplistes.

Chacun des camps est divisé et constitué par des personnages très différents. Le pôle du patronat est scindé entre les absents de la scène de la fiction (le pouvoir de Paris, les actionnaires…) et les présents. Ceux-ci se répartissent entre Hennebeau, qui dirige à Montsou la puissante Compagnie mais en est un salarié et est lui-même un parvenu (à la différence de son épouse), entre les Grégoire, rentiers paisibles et sans ambition, et Deneulin qui veut transformer sa rente en petite entreprise, ayant modernisé une mine. Il est ainsi devenu un petit concurrent de la Compagnie des mines. Le pôle des mineurs est complexe : il comprend des familles locales liées à la mine (les Maheu, les Levaque…) et des individus venus d'ailleurs (Souvarine, Chaval, Etienne…). Il est traversé par des différences d'attitudes, de générations…

De surcroît entre ces deux pôles existent de nombreux intermédiaires : les porions, les commerçants (Maigrat, Rasseneur…), les religieux, eux-mêmes non homogènes.

Cette complexité se fonde sur le projet réaliste auquel elle donne consistance : volonté de précision, volonté d'exhaustivité… Les personnages concrétisent les multiples déterminations sociales, la diversité du réel, les attitudes possibles… Ils permettent de surcroît d'insérer des savoirs et de les justifier : chacun d'entre eux favorise à sa manière l'apport d'informations sur sa sphère d'activité.

Cette complexité produit encore des caractères non monolithiques : Zacharie, égoïste et détaché de tout, se révèlera un mineur et un frère exemplaire lorsqu'il s'agira de sauver Catherine ; Négrel arriviste et méprisant est aussi intelligent et courageux ; Deneulin ambitieux et cassant est aussi malheureux en amour…

Les noms des personnages

L'*onomastique* est l'étude de la signification des noms dans un texte. Ceux-ci ne sont pas distribués au hasard et contribuent à tisser les réseaux sémantiques des romans. Dans le cas de *Germinal*, nous pouvons distinguer au moins deux dimensions dans le fonctionnement des noms.

La première réfère au monde, elle renvoie aux modes de nomination sociale et aux oppositions qu'elle concrétise. Le nom manifeste l'appartenance à une catégorie. Ainsi, les bourgeois sont désignés par le nom de famille précédé de «Monsieur» ou «Madame». Respect et sentiment de la hiérarchie leur sont associés. Pour les mineurs ou les «intermédiaires» (Maigrat...) nous n'avons en revanche que les patronymes ou les surnoms et les femmes sont désignées par le nom de famille pourvu d'une marque de féminisation (*La* Levaque, *La* Maheu*de*...). Les enfants et les domestiques quant à eux ne sont désignés que par des prénoms.

A cette première dimension, essentiellement réaliste, s'ajoute une seconde fonction du nom : définir le personnage moralement ou physiquement. Cette fonction symbolique peut être immédiatement lisible ou reconstruite grâce au reste du texte. Dans le premier cas, se trouvent la Veuve Désir (qui s'occupe des prostituées et aurait six galants par semaine) ou *Constance* Maheu (caractérisée par son labeur incessant et sa fidélité). Dans le second cas, on peut relever La Brûlé (cette vieille «sorcière» qui videra les chaudières), Chaval (qui ressemble à une rosse et que l'on fera boire à quatre pattes), Maigrat (qui vend les mets, est gros et rend maigres les mineurs) ou Bonnemort (qui est celui qui a trompé la mort à plusieurs reprises).

Ainsi le nom désigne les personnages, les inscrit dans l'univers social et le système des oppositions du roman, condense des informations et symbolise les acteurs.

3. Espace et temps fictionnels

Réalité et réalisme

Ce roman, considéré par certains comme un modèle de vérité, permet de mieux percevoir les différences entre réalité et réalisme. En effet, loin de référer à *un* événement historiquement attesté dans tel lieu précis, ce texte concentre et synthétise diverses grèves (depuis 1878 elles se succédaient ; la grève d'Anzin a lieu en 1884...) et différents mouvements antérieurs ou postérieurs (les luttes de tendances au sein du mouvement ouvrier, la vague des attentats nihilistes...) dans des lieux réels (Marchiennes, Lille...) ou fictifs (Montsou...). Cela explique, par exemple, qu'il y ait peu d'indications de *dates* mais de nombreuses notations de *temps* et de *durée* (mois, jours, heures...).

L'impression de réalisme est obtenue par le mélange entre quelques renvois précisément *référentiels* (des personnages ayant réellement existé), quelques dates, quelques lieux, et la minutie de la construction fictionnelle qui travaille la *vraisemblance* par la précision des types sociaux, des conditions de vie et de travail, du savoir disposé et des descriptions. L'abondance du *lexique technique* concernant la mine contribue largement à cet effet.

Fonctions de l'espace et du temps

Une fois posée – dès le premier chapitre et l'entretien avec Bonnemort – cette impression de réalisme, les notations du temps et de lieux vont remplir d'autres fonctions, *symboliques*, dans l'organisation du roman.

Ainsi, la multiplication des notations de temps servira, comme dans les romans à suspense, à la dramatisation des événements en mettant l'accent alternativement sur son immobilité (avant la grève, par exemple) ou sur son accélération dans les moments d'affrontement.

Ainsi, la description du même lieu – au début et à la fin du roman – par Etienne se chargera de valeurs liées à sa transformation. La première fois il est écrasé et a peur dans la nuit et le froid (I, 1). La dernière fois, il contemple le Voreux détruit dans un doux matin d'avril et la germination remplace l'écrasement.

De même l'espace très réduit du roman (quelques kilomètres) oppose les déplacements internes et à pied des mineurs à ceux en calèche ou à cheval des bourgeois qui en sortent parfois. Ces déplacements s'opposent encore sous l'angle de la répétition (du coron à la mine) ou de la variété.

En outre, l'opposition dessous (sous la terre) – dessus sépare nettement bourgeois et mineurs. Seuls des événements exceptionnels (la grève) ou des personnages intermédiaires (Négrel) transgressent cette règle. Les *scènes* (de lever, des repas...) manifestent une autre différence essentielle entre l'espace d'habitation, quadrillé, réduit et sous le règne de la promiscuité des mineurs et l'espace clos, protégé et intime des bourgeois.

Ainsi les indications de temps et de lieux instaurent le réalisme tout en structurant les oppositions du texte et en symbolisant les différences sociales. C'est pourquoi elles relèvent d'une double analyse : la première étudiant les procédés qui construisent l'impression «que c'est vrai», la seconde relevant les différentes composantes, les mettant en relation (de ressemblance, de dissemblance) pour en chercher les valeurs à l'intérieur du roman.

4. La narration

L'instance narrative

La narration est assumée par un narrateur omniscient (mais non figuré). Il s'agit d'un récit à la troisième personne et au passé (narration ultérieure). Cela permet de présenter au lecteur les différents lieux, les différentes actions et les différents personnages, extérieurement et intérieurement. Nous avons l'impression de percevoir la *totalité* de ce monde mais aussi sa *complexité*, ce qui rend les jugements de valeur moins faciles et l'axiologisation du texte plus élaborée. Le lecteur n'en reste pas à une vision manichéenne mais appréhende les tensions au sein de chacun des camps et les contradictions à l'intérieur de chaque personnage.

Ce phénomène est renforcé par le fait que l'on suit alternativement les protagonistes du drame et qu'il existe des changements de perspective (nous voyons par tel ou tel acteur) soit pour motiver les descriptions et l'insertion du savoir, soit pour mieux «pénétrer» la «psychologie» d'un personnage.

De surcroît la distance du narrateur rend encore plus complexe la saisie des valeurs puisqu'il manifeste un décalage avec chacun des acteurs (ainsi en est-il face à l'ambition d'Etienne et à son autodidaxie en III, 3). L'axe narrateur-héros est détruit comme référence de l'identification et du «bon» point de vue. A chaque lecteur de reconstruire dans ce foisonnement, cette diversité et cette distance généralisée son point de vue...

Le temps de la narration

Un bon moyen pour analyser les phénomènes liés au temps de la narration consiste à construire un tableau mettant en parallèle dans quatre colonnes, les chapitres, le nombre de pages, les indications de temps et de durée et – très succintement – les événements.

Une telle démarche permet par exemple de voir très rapidement les changements de *rythme* dans *Germinal*. Ce roman développe un temps fictionnel d'un an sur sept parties et quarante chapitres. Les première et seconde parties ne durent que douze et treize heures et la cinquième une journée alors que les autres parties s'étendent sur un laps de temps plus long (III : neuf mois ; IV : un mois ; VI : quinze jours ; VII : deux mois). Dans le premier cas (parties I et II) il s'agit d'une *expansion* nécessitée par le primat de l'informatif (construire le monde) sur le narratif. Dans le second cas, il s'agit d'une *concentration* liée à la dramatisation : la grève est à son paroxysme, les affrontements se multiplient jusqu'à l'agression des bourgeois et au meurtre symbolique de Maigrat (V, 6).

Les chapitres manifestent aussi des changements de rythme : ainsi le III, 2 ne dure qu'une journée (il est consacré aux loisirs des mineurs) au contraire du III, 1 qui s'étend de mars à juillet et montre à la fois la répétition et la montée du mécontentement.

Les changements de rythme se concrétisent encore par la rupture ou non entre les chapitres. Ainsi entre VI, 5 (la fusillade) et VII, 1 il existe une *ellipse* de plusieurs jours qui souligne l'importance de l'événement.

Ces modifications sont importantes pour ce qu'elles permettent de mettre en valeur. Ainsi le jeu de l'étirement ou de la condensation va favoriser l'expansion textuelle de l'hiver et la domination du noir, de l'obscurité, en relation avec l'univers de la mine (voir l'ellipse de six semaines entre VII, 5 en février et VII, 6 en avril). Il favorise complémentairement la prédominance des scènes nocturnes sur les scènes diurnes pour ce qui arrive à la surface. Tout changement de rythme est donc à analyser en fonction de l'effet qu'il vise à produire…

La construction d'un tableau permet encore de mettre en lumière ce qui concerne l'*ordre*. Ainsi les parties I et II manifestent des chevauchements – elles se déroulent au même moment – entre les actions de ceux qui travaillent et de ceux qui sont restés chez eux ; les chapitres II, 1 et II, 2 opposent le réveil des Grégoire et celui des Maheu. Les perturbations de l'ordre servent la construction des oppositions de vie qui structurent cet univers et manifestent la volonté d'une saisie exhaustive des acteurs du roman. Les *symétries* favorisent aussi la *dramatisation* dans la septième partie (chapitres 4 et 5) en suivant alternativement les mineurs perdus et désespérés et le travail des sauveteurs.

Si les *prolepses* sont peu nombreuses, les *analepses* sont en revanche fréquentes. Elles sont soit *externes*, à vocation essentiellement informative-explicative (la mémoire de la mine par Bonnemort en I, 1 : la mort de la compagne de Souvarine en VII 2…), soit *internes* en permettant de suivre tous les personnages et d'accentuer les oppositions (V, 4 : les mineurs déferlent de puits en puits ; V, 5 : Hennebeau chez lui prend conscience de la liaison de sa femme avec Négrel…).

La fréquence de ces «perturbations» chronologiques dans le texte peut aussi s'interpréter comme une volonté de mimétisme entre les bouleversements du monde (de la fiction) et ceux de la narration…

5. La mise-en-discours

La mise-en-discours témoigne de tensions aussi importantes que celles que nous avons relevées aux niveaux précédents. Nous n'en donnerons ici que deux exemples.

Le premier concerne les paroles des mineurs qui, pour «mimer» l'oral, doivent intégrer quelques expressions «populaires» mais qui, prisonnières des normes de l'écrit, témoignent d'une étonnante correction syntaxique jusque dans l'emploi des subjonctifs. On en trouvera une bonne illustration en II, 2 dans l'entrevue entre les Grégoire et la Maheude.

Le second exemple concerne les figures de style. A la métonymie de l'univers réaliste-naturaliste (par exemple le lien entre habitat et personnages : le manque de pudeur des mineurs) vient s'adjoindre dans ce roman un important travail de la *métaphore*, depuis le titre «Germinal» jusqu'au *Voreux* qui, comme son nom l'indique, dévore gloutonnement les mineurs, en passant par le Capital-Minotaure, ce dieu tapi dans l'ombre dont parle excellemment Colette Becker (voir bibliographie). De toutes parts affleurent donc, sous le masque naturaliste, la force et la violence des images et du mythe…

Est-ce lié au sujet traité, au romancier Zola, à l'écriture romanesque par elle-même ? Autant de questions que les modestes instruments proposés permettent de soulever mais qui nécessitent le recours à bien d'autres théories pour que nous puissions espérer – au moins en partie – y répondre...

LECTURES CONSEILLÉES

ABASTADO Claude,
    Germinal, Paris, Hatier, coll. «Profil d'une œuvre».

BECKER Colette,
    Émile Zola. Germinal, Paris, PUF, 1984, coll. «Études littéraires».

LES CAHIERS NATURALISTES, n° 50, 1976.

DUCHET Claude,
    «Parole, société, révolution dans *Germinal*», *Littérature* n° 24, 1976.

EUROPE, n° 678, *Zola/Germinal*, octobre 1985.

MITTERAND Henri,
    Le Discours du roman, Paris, PUF, 1980, coll. «Écriture».

Index des auteurs

Index des œuvres

Index des notions

Imprimerie GAUTHIER-VILLARS, Paris
Dépôt légal, Imprimeur, n° 3729
Dépôt légal : avril 1992   *Imprimé en France*
Dépôt légal 1re édition : 1er trimestre 1991